G000019715

5€
1€

CAFETINES
CON PEDIGRÍ

Colección:

Geografía Gastronómica

Anselmo J. García Curado

CAFETINES CON PEDIGRÍ

editorial
Zendrera Zariquiey

Autor: Anselmo J. García Curado
Ilustraciones: Cristóbal Pou Pérez
Fotografía de portada: Archivo de Barcelona

© Anselmo J. García Curado
© Editorial Zendrera Zariquiey
Cardenal Vives i Tutó 59
08034 Barcelona - Tel.: 932806182
Primera edición: junio 1999
ISBN: 84-8418-012-3
Depósito Legal: B-27173-1999
Impreso en España - Printed in Spain
Producción: Addenda, s.c.c.l., Pau Claris, 92, 08010 Barcelona
Impresión: Edim, s.c.c.l., Badajoz, 147, 08018 Barcelona

Reservados todos los derechos. El contenido de esta publicación no puede ser reproducido ni transmitido, ni en todo ni en parte, por ningún sistema electrónico o mecánico, incluyendo fotocopia, grabación magnética, o cualquier medio de almacenamiento o recuperación de información, sin la autorización previa, por escrito, de los titulares de los correspondientes derechos de propiedad intelectual o de sus cesionarios.

A MODO DE INTRODUCCIÓN

«El café es el mejor de los estimulantes, tanto para los intelectuales como para los trabajadores manuales.» (A. Chevalier)

Yara-Hunza es una pequeña de cinco años. Para más datos: mi hija. Un monstruo de chiquilla a la que le gusta tomar café con leche. En realidad, el *culico** o el resto que su mamá se deja algunas veces, como lo hacía siempre mi abuela, por aquello de que tomarlo todo era de mala educación, vamos, según la educación victoriana. En realidad Yara-Hunza lo que quiere es «ser mayor» y por eso hace lo que los mayores, tomar café, a pesar de que lo encuentre amargo.

Resulta que el café, al igual que la cerveza y la tónica o agua quinada no suelen gustar a los niños, ni siquiera a la mayoría de los adultos, en la primera ocasión que se bebe. La especie humana es la única que lo toma y es a base de la repetición cuando se condiciona o habitúa el cuerpo y acaba gustando. Dicho de un modo más empírico es el café uno de los alimentos cuyo gusto provoca una aversión innata.

No recuerdo exactamente el sabor de mi primer café, pero sí el lugar donde lo tomé: Tánger, en el bulevar hoy Hasan I, antes Mohamed V. Mi abuela materna, la «yaya chica», lo solía tomar, y

* Soy consciente del mal efecto que pueda causar esa palabra en México, por ejemplo, pero en mi contexto resulta un término coloquial, cariñoso, que se emplea infinidad de veces y que resulta en última instancia como el elemento unificador de hombres y mujeres. Decir «ojete», sería para mí, una vulgaridad.

del bueno, en una época en que escaseaba por la posguerra. Tomarse un café, preferentemente en la cocina, en el tazón con trozos de pan, lo que denominaban *migotes*, era sentirse mayor, incluso importante. El azúcar ayudaba a restar ese amargor del café hervido en pava, colado en calcetín y con evidentes restos de zurrapa. Un café con fundamento, como diría Karlos Arguiñano, pero con un inolvidable aroma.

El café nos abre el día y ayuda a despertarnos. Nos calienta, bien solo, bien con esas gotas o chorro de anís o coñac, lo que se bautizó como carajillo. Nos alimenta si es con leche, constituyendo a veces el único sustento que te da tiempo a tomar antes de salir apresurado de casa en estos ajetreos de la vida moderna.

«Nada mejor para empezar tu día que un buen café... el mejor compañero de trabajo», reza un bonito cartel colombiano colgado en un cafetín de Villa de Leyva, al norte de Bogotá. O aquel otro, también colombiano, que dice: «el café te calienta... tómalo como quieras».

No se concibe una buena comida sin un excelente café después del postre. El café sindical entre las horas del trabajo, el café de la merienda, el refrescante granizado de café en verano. El café del somnoliento conductor. El café del perezoso estudiante. El café de los negocios. El café de la mañana. El café de la excusa: «Ahora vuelvo, voy a tomar un café.» El café del impaciente: «Camarero, un café rápido» y la respuesta siempre agradable: ¡marchando!

En un excelente elogio del café, el periodista Joan Barril comenta cómo el café es la certificación notarial de que los próximos cinco minutos van a valer la pena. El café es la materialización de lo que casi no tiene precio. «Tenga, buen hombre, para un café.» Mucho más que una propina o limosna, o como sigue comentando el buen Joan, el pretexto de un gran momento: «Oye, Lola, me gustaría conocerte. ¿Aceptas que te invite a un café? En el poso del café está la historia. En el humo, la conversación. En el gesto, la delicadeza. En la esencia, el espíritu despierto. En el aroma, la siesta. En el murmullo, el ateneo. En el silencio, la soledad. En los cafés vacíos, los hombres tristes. Una deliciosa taza llena de poesía.»

Claro que el café es algo más que «solo, cortado o con leche». Café de olla mexicano, el café expreso italiano, el *capuccino*, el turco, el árabe, el americano, el largo, el corto, el natural, el torrefacto, la nube, el manchado, el irlandés, el Irish coffee, el *gourmet*, el vienés, el bombón, el medio pollo dominicano o el perico colombiano, el arábica, el robusta, y dentro de éstos el brasilero, el colombiano, jamaicano, guatemalteco, mexicano, costarricense, el de Madagascar o malgache, el de Etiopía, Uganda, Costa de Marfil, Camerún, Java, Guinea, Papúa, etc.; todo ello es tan sólo una muestra de lo que encierra este veneno adorable, que decía Voltaire.

El café despierta. Es el camino hacia el cielo. La vida en un sorbo de café o la vida sorbo a sorbo. El café incita. El café excita. El café. Siempre café. En cierta ocasión una señora cursi me invitó a un café en su casa. Cuando me preguntó cómo estaba, le contesté seco y rotundamente: ¡frío, poco amargo y sin azúcar!, señora, pero es como a mí me gusta. La expresión de la dama, sin comentarios. En otra ocasión similar me invitaron a otro café y empecé a echarme terrones de azúcar de forma despreocupada. Cuando llevaba seis o siete, la señora de la casa en cuestión, medio tímida, medio preocupada, me dijo de forma correctísima: «¡señor, ya lleva seis!», a lo que contesté: «bueno no importa, señora, no le daré vueltas». Son bromas en torno al café.

Por otro lado, están esos maravillosos lugares donde se toma el café. Son los Cafés, Cafetines o modernamente Cafeterías. Ésta será la segunda parte del libro y la más importante: Cafetines con pedigrí. Lugares sacrosantos donde se cuecen o se han cocido grandes proyectos e ilusiones. Cafés centenarios amenazados de muerte y desaparición; y es que los Cafés, como las personas, nacen, se reproducen, algunos hasta de forma clónica como lo son los de «franquicias», y mueren o sucumben a los «adelantos» o «progresos» de nuestra absurda modernidad.

He seleccionado, visitado y saboreado en más de una cincuentena de ellos, interesantes Cafés testigos del momento. Por supuesto, ni son todos los que están ni están todos los que son. Pido perdón. Sé que me dejo esos bellos Cafés de El Cairo, de Marruecos o Brasil. Será para otra ocasión. Cafés de reunión política y conspiradora, por eso fueron muchas veces clausurados o prohibidos. Recuerdo entre otros el de la Ópera de México en el que aún persiste el agujero producido por los tiros de Pancho Villa. Cafés de simples pero importantes tertulias y contertulias. Cafés de artistas, como aquella célebre novela del mismo título, de Camilo José Cela, donde poetas, oradores, escritores, músicos, pintores, coreógrafos y bailarines, estos últimos muchas veces ignorados y excluidos, se reunían para crear, dialogar, elucubrar, recitar, criticar o, sencillamente, estar. El Café Pombo o El Gijón, ambos de Madrid, son muestra de ello.

Café-piano, Café-concierto, Café-cantante o Café-teatro, como lo fuera el célebre Plata de Zaragoza, al final del «Tubo», y del que fui ferviente parroquiano o el célebre Tortoni de Buenos Aires, visitado por varios presidentes y el mismo rey Juan Carlos. Cafés-literarios, de los que Francia está llena, como el legendario Momus, Cafés-surrealistas, como Le Petit Grillon, Musset o Cyrano donde Breton y Aragon se reunían. Cafés «oficina» donde se atiende, despacha, escribe, telefonea, se busca trabajo o se reciben recados. Es de justicia recordar al desaparecido Café Zurich de Barcelona, que incluso ponía a disposición de los clientes papel con membrete, palillero o pluma y tintero para escribir, amén del secante, y el persistente Café de l'Òpera, en plenas Ramblas barcelonesas.

Cafés deportivos en donde se oían primero, y veían después, combates de boxeo, partidos de fútbol, baloncesto o se reunían peñas deportivas. Tal es el caso del primer café mexicano, Café Tacuba o el Café ya mencionado de l'Òpera. Cafés de toreros, Cafés de periodistas, siempre próximos a alguna redacción, como Café Automático o Café Pasaje en pleno centro del viejo casco de La Candelaria, de Santafé de Bogotá, Cafés de juegos, donde el dominó, el ajedrez o las partidas de cartas nunca faltaron.

También los Cafés de billares, donde el número de éstos respondían a las «estrellas» del local, como el de los 36 billares de Buenos Aires o el Velódromo de Barcelona. Cafés de paso o de parada de tren o autobús. Cafés de estudiantes, donde se tomaban apuntes o se maquinaba el próximo guateque. Cafés de citas y ligues. Cafés donde le guardaban a uno los paquetes o los paraguas. Cafés de hotel, como ese inolvidable Café del Hotel Bolívar en Lima, donde uno no sólo disfruta del aroma sino de las canciones de aquel músico de color interpretadas en un impresionante piano blanco de cola. Cafés de pueblo, de innumerables pueblos de nuestra geografía latina, donde uno se jugaba el café a las cartas o a los «chinos».

Tampoco se pueden omitir los casinos —no me refiero a los de juego, sino a los «círculos» o clubes, tipo inglés, verdaderos bunkeres «sólo para hombres».

Ligados a los Cafés, esos importantes personajes como el servicial camarero o mesero en Latinoamérica, primero profesional y luego ocasional. Camareros de auténtico lujo con el uniforme de pantalón negro, camisa blanca y pajarita, chaleco, siempre chaleco, con su delantal corto o el típico *rondeau* francés, largo y atado por delante. Ese atento camarero de las dos manos atrás, o una delante y con su rejilla o bayeta y la otra detrás. O las dos manos delante con la bandeja redonda y metálica a la espera. El limpiabotas sentado sobre su caja de boleo, a la caza del cliente, el vendedor de lotería, la cigarrera y la guardarropa. El tabaco siempre aliado del café. Los ceniceros típicos como los de Ricard en Francia. Las cajas redondas de los azucarillos galos, las sillas o taburetes altos. Las sonadas palmas para llamar al mesero, el golpear la cucharilla con el vaso, como se hace en el Café de la Parroquia de Veracruz, o mil detalles más en torno a estos lugares, que configuran una excepcional escenografía, música y coreografía en ese gran teatro de la vida.

La evolución en el precio de una taza de café me recuerda al del litro de la gasolina. He conocido el precio del combustible a 2,50 pts., 5 pts., 25 pts., 60 pts., 85 pts., 100 pts., 125 pts. y 130 pts., lo mismo que un sorbo largo y amargo. Antes de la subida era la bebida más popular: «¿Qué va a ser?» «Ponga un cortadillo.» Ahora uno debe meterse la mano antes en el bolsillo para contar con la calderilla suficiente y no llevarse un chasco. ¡Ya no se fía!

Múltiples escritores han hecho mención del café, como el citado Camilo José Cela, el propio Federico García Lorca con su Café de Chinitas, de Málaga, del que extraigo este elocuente verso: *En el café de Chinitas, dijo Paquiro a su hermano: soy más valiente que tú, más torero y más gitano,* o Leandro Fernández de Moratín quien relatara la importancia de los cafés en *La Comedia Nueva o El Café*, hasta el mismo Ramón Gómez de la Serna, gran tertuliano, decía que el café tiene el don de apaciguar al indócil y de volver comprensivo al incomprensivo.

Miguel de Unamuno hablaba de los Cafés como verdaderas universidades del pueblo, junto con las plazas públicas. También el nobel Ramón y Cajal llegó a decir que donde se sentía más español era en los Cafés. Ramón del Valle-Inclán perdería su brazo en una tonta disputa de café; era en el madrileño Café de la Montaña. Antonio Azorín en su novela *La voluntad* recoge de forma magistral el ambiente del Café de Revuelta. Honorato de Balzac haría uno de los mayores elogios al café en el epílogo del libro *Fisiología del gusto* de Anthelme-Brillat Savarin, obra maestra de la gastronomía, citado y comentado en el libro *Chocolate, oro líquido,** Emilio Zola y tantos otros. Músicos como J.S. Bach que compusiera una bella Cantata del Café en 1732; Rossini quien dijera que el café es asunto de quince o veinte días, justo el tiempo de hacer una ópera; Mozart, Vivaldi o el propio Beethoven eran adictos a los cafés. El chelista Pau Casals o Amadeo Vives eran de igual forma parroquianos fieles de los Cafés y sus tertulias.

Pintores como José Gutiérrez Solana, autor del célebre cuadro *La tertulia del café Pombo* donde refleja el ambiente literario de una de las reuniones más conocidas de nuestros típicos establecimientos y en el que llegaría incluso a tomar café el hermano de Napoleón, José I Bonaparte, alias «Pepe Botella».

Pablo Ruiz Picasso, que de muy joven pintara en Els 4 Gats, y más tarde, ya de adulto, Putas en el bar, Bebedoras de ajenjo o Aperitivo; Juan Gris en el *Desayuno*; Manet y Dégas, mano a mano con el tema de los cafés o el mismísimo Toulousse-Lautrec retratando los Cafés de Pigalle en París, dan amplio testimonio de la importancia de los Cafés en el arte de la pintura. Van Gogh con el *Café de Arlés* o las Escenas de Café de Santiago Rusiñol, lo corroboran.

También el apesadumbrado psicoanalista Sigmud Freud observaba la sociedad vienesa sentado en los cómodos y lujosos locales de la capital austriaca llenos de espejos. Cantautores contemporáneos como Juan Luis Guerra con su *Ojalá que llueva café en el campo* o aquella de *Moliendo Café* que tan bien cantara la granadina Gelu, ponen en evidencia que el café incita a la danza.

* GARCÍA CURADO, Anselmo J.: *Chocolate, oro líquido*, Barcelona, Zendrera-Zariquiey, 1996.

Todos ellos sin olvidarnos de los clásicos J.J. Rousseau, Musset, Robespierre —quien lo tomaba al mismo tiempo que comía y chupaba naranjas—, Danton o Marat Sade y un sinfín de celebridades más como D'Alambert y Diderot, de quienes se dice hicieron la *Enciclopedia* en un Café, todos feligreses del famoso Procope de París. La lista se haría interminable.

Existe una bella alusión al origen divino del café y es que, como dice la mexicana Cheli Cid, el café despeja la cabeza. Con la cabeza despejada se trabaja muy bien. Trabajando muy bien se producen ganancias. Las ganancias producen dinero. El dinero produce buen humor. El buen humor produce felicidad. El que es feliz se halla dispuesto para el bien. Las buenas obras conducen al cielo, por lo tanto el café es el camino hacia el cielo. A esto se le llama un silogismo en café.

Sobre todo quiero aclarar, como bien habrán observado, que este libro se refiere a los cafés, en minúscula, cuando hablo de la bebida o planta y de Café, en mayúscula, cuando me refiero a la Cafetería, Cafetín o Café, es decir, el lugar donde se toma. Por lo tanto, ojo al dato, que no es una falta.

Hace bien poco, asistía a una exposición de pintura en el Instituto Francés de Barcelona, que versaba sobre el tema de los Cafés literarios. Tuve la gran suerte y enorme satisfacción de disfrutar con más de una veintena de artistas que plasmaron su obra en torno al ambiente cultural del café. Vayreda C., entre otros, destacaría por sus Café de la Ópera, Gijón y Café Procope.

Y, como siempre, los agradecimientos a la Sociedad Nestlé que me ayudó y a la que, a través de mi padre, estuve vinculado. A mis amigos y amigas de toda la vida, leales colaboradores en artículos, revistas, fotos, comentarios, siempre útiles. Susana Notti y Adriana Silvestri, de Buenos Aires; Àngels Royo, de la Rierada; Cecilia González, de Lima; Patxi López, aragonesa; Carola Merchán, de Bogotá; Paty Marrero, de Torreón, México; Marc Sagaert, del Instituto Francés de Barcelona; Anja Stöhr, de Arhensburg, Alemania; Antonio Veloso, de Cafés Jamaica; Elisa Núria Cabot, de la revista *Quimera*; Àngels Mata, de Didaco; a todos mis compañeros de viajes y misiones con los que he tomado excelentes cafés en esos lugares tan inolvidables.

También al Racó de l'Art un pequeño lugar de la calle Alfonso XII, esquina a L'avenir, donde Elena, Olga y Mónica me agasajan con sus excelentes cafés, en especial el etíope. A todos mil gracias.

Sant Pere de Ribes (El Garraf), octubre de 1998

UN POCO DE HISTORIA

«Es quizá la bebida más radical, cuya función parece haber sido la de incitar al pueblo a pensar. Y cuando este pueblo empieza a pensar, este ejercicio es peligroso para los tiranos y los enemigos de la libertad.»
(W.H. Uckers)

El árbol que produce el café se denomina cafeto y existió desde siempre en estado silvestre en algunos lugares de África y Oriente Medio, aunque fue el azar el que permitió su feliz descubrimiento.

Existen numerosas leyendas en torno al origen del café. La primera historia pertenece a un monje maronita llamado Nairone* que llegó a dictar clases de teología en la Sorbona de París alrededor de 1700, aunque hay quien lo sitúa siempre en Roma. Cuenta el citado religioso que muchos años antes, un pastorcillo llamado Kaldi, que habitaba en las montañas de Abisinia, hoy Etiopía, concretamente en la región de Kaffa, descubrió un buen día que sus cabras brincaban de forma extraña. Como es lógico, pensó primero en algún insecto, luego en algún espíritu maligno, del que son tan aficionadas las culturas africanas, pero observó que esta conducta descontrolada se producía inmediatamente después de que comieran las cabras unos arbustos que poseían unos frutos rojizos, semejantes a las cerezas.

Kaldi acudió raudo a un monasterio cercano a explicar el caso al prior, quien le acompañó personalmente para comprobar seme-

* El relato se atribuye, según otros estudios, a Fausto Naivone, publicado en Roma en 1671 y traducido al francés por S. Dufor en 1685.

jante hallazgo. El monje tomó hojas y granos de la planta en cuestión y se los llevó a su cocina y bebió el jugo obtenido de la curiosa pócima, una vez machacada. No debería de ser muy buena de sabor cuando la tiró al fuego escupiéndola. Cuál sería su sorpresa al desprender el grano tostado por el fuego tan agradable aroma. Entonces probó el líquido preparado con el grano tostado y, aunque todavía amargo, era de indudable mejor sabor que el anterior; pero lo más curioso eran las características tonificantes que se produjeron después de ingerir la bebida. Ya no se dormirían en las penosas liturgias de vigilias y maitines que les obligaban las reglas conventuales. Ésa fue una de las claves del éxito. Evidentemente, como tal leyenda, existen otras muchas versiones, en una de ellas interviene el mismo Mahoma en revelación particular al citado prior.

Los árabes supieron preparar, cuidar y beber el café con rito.

La segunda leyenda nos habla de la revelación que tuvo el propio profeta, que estaba cansado y cayó en un profundo letargo. Viendo que pasaba el tiempo y que Mahoma no despertaba, el arcángel Gabriel, temiendo por el futuro del pueblo árabe, le da a beber un brebaje mágico que lo despierta y con el que consigue vencer acto seguido a cuarenta guerreros y satisfacer a otras tantas mujeres. Esa pócima mágica no era otra cosa que café. Es, sin duda, la más fantástica e inverosímil de todas.

Una tercera leyenda cita a un joven apuesto llamado Omar, discípulo del maestro y califa Hassan Schahdeli, fundador de la ciudad yemenita de Moka. Omar se enamoró de la hija del califa, pero éste no lo consideró lo suficientemente digno como para que desposara a su preciada joya, por lo que acto seguido desterró al joven pretendiente quien tuvo que vagar por el desierto. El califa Schahdeli murió, y Omar, aún desterrado, lo invocó en sus plegarias; apareció entonces una enorme ave de elegante plumaje, posada sobre la rama de un arbusto. Atraído por la belleza del pájaro, Omar se acercó; el ave se asustó y levantó el vuelo, apareciendo entonces hermosas hojas blancas que exhalaban un profundo perfume con frutos de color rojizos. Era un cafeto. Tomó los granos, hizo una infusión y la bebió, apoderándose de él una sensación de bienestar que le hizo olvidar todas las penas de su involuntaria situación. Días después encontró a un peregrino extraviado y enfermo cerca de su cueva. El joven Omar le dio a beber la infusión preparada de igual manera; el peregrino mejoró de tal forma que pudo proseguir camino hacia Moka, donde contó lo sucedido. Para corroborar lo sucedido llevó consigo algunos granos de café. La noticia se propagó y Omar pudo regresar a su ciudad con todos los honores. Creo que hasta llegó a casarse con su enamorada. (Existen otras versiones similares con el mismo final.)

Con la aparición del café o su «descubrimiento» aparecen otros aspectos destacables. El vino era considerado como un destilado y, por lo tanto, prohibido en el Corán. Además, era la sangre de Cristo, de la enemiga religión cristiana. Con el café aparece el «vino árabe», la sangre de Alah, que no embriaga pero sí excita. Será recomendado en todas las familias y bebido por hombres y mujeres. Esto acarreará más tarde otras cuestiones, puesto que si el café excita también provocará discusiones en el seno familiar, con el consiguiente riesgo de inestabilidad.

Se utilizará también con fines medicinales, por lo que será guardado por el mundo árabe con sumo sigilo. Ya en el siglo IX el médico persa Al Razi menciona y se refiere al café con fines terapéuticos, pero era aún café verde. El café tostado aparece hacia el siglo XIII. De Etiopía pasará al vecino Yemen y, por su cercanía con La Meca, pronto algún peregrino extranjero lo descubrirá y lo trasplantará a otros países. Tal fue el caso del hindú Baba Budan, que fue el primero en introducirlo en la India a principios del siglo XVI, guardando unas semillas entre sus ropas y trasportándolas clandestinamente.

De esta forma, el monopolio árabe del café acabará hacia 1690. Tal era el celo que tenían por el café que todas las semillas eran tostadas o hervidas antes de enviarlas a alguna parte.

Otro insigne médico musulmán, Avicena, describe hacia el año 1000 el café como una semilla de color amarillo limón, que tiene diferente aroma y enormes cualidades terapéuticas como limpiar el cutis, secar los humores malignos, dar un olor excelente a todo el cuerpo y fortalecer los miembros.

En este sentido cabe destacar que el café se conoce primero con fines medicinales, y se populariza tostado y como tal bebida mucho después; al igual que sucedió con otros alimentos de rango especial, como el caviar, que existió siempre en Rusia, aunque fue popularizado por los franceses varios siglos después, concretamente en 1720.

De Etiopía y Yemen pasará a Turquía entre 1420 y 1450. Turquía, cuna del Imperio otomano, lo difundirá por el resto del mundo. Si el vino se propagaba al ritmo de la fe católica, no es menos cierto que el café lo hizo con la expansión del Islam. Si Persia lo conocía a través del Tratado de Al Razi, La Meca, El Cairo y Constantinopla lo consumían en establecimientos de forma regular a partir de 1554. Fueron dos comerciantes sirios de la ciudad de Alepo, Djems de Damas y Hakim, quienes fundaron sendos Cafés en la antigua Bizancio, en el barrio de Taktacalah, a los que denominaron Kahvehanés. Son las primeras cafeterías propiamente dichas, altamente confortables, bien decoradas, donde se emplea mobiliario y utensilios de enorme calidad. Se convierten, según las sabias palabras de Néstor Luján* en lugares influyentes y de gran trascendencia social por las importantes reuniones políticas y religiosas que allí se trataban.

Los persas conocían el café como medicina, luego pudo adquirirse en mercados a un elevado precio.

En El Cairo sucede algo parecido unos años antes, al final de la era de los mamelucos en 1517. De la importancia del café en Egipto nos habla Próspero Alpino —italiano, profesor, médico y botánico

* LUJÁN, Nestor: *El Libro del café,* Barcelona, Sociedad Nestlé, 1984.

de Padua—, que viajó a ese país por espacio de tres aprovechados años y comenta al respecto: «Los egipcios utilizan de forma común ese grano, al que denominan bon. Hacen con él una decocción caliente y la beben de forma semejante a la de nuestros compatriotas con el vino en las tabernas públicas. Lo toman diariamente, frecuente y abundantemente, incluso cuando están en ayunas. Se ha experimentado que esta bebida calienta el estómago y les da fuerza. En las mujeres les provoca la regla. Lo beben y tragan poquito a poco. Sorbo a sorbo para mayor deleite.»

De todas formas, será la Constantinopla bizantina, convertida en Estambul, la que difundirá los cafés por todo el viejo mundo. De ahí pasarán a Venecia y Viena. A Francia llegará por medio de los egipcios al puerto de Marsella.

Antes de proseguir, se produce otro acontecimiento de importancia: el acoso de unos marinos holandeses a las costas del Yemen donde roban un cafeto y lo llevarán, primero al Jardín Botánico de Amsterdam y, posteriormente, a las colonias holandesas de Java donde se aclimatará de forma proverbial. De esta forma Holanda, que precisaba imperiosamente productos para comerciar, dispondrá de café a partir de 1690 y romperá el monopolio árabe.

Más tarde, los holandeses regalarán unos cafetos a los franceses, que los llevarán a la isla caribeña de Martinica, en una singular proeza, ya que en el Jardín Botánico de París no se desarrollaba; pero de eso hablaremos después.

Venecia, en contacto con Oriente Medio, será la primera ciudad europea que consuma café y donde se abran las primeras cafeterías. El primer Café se instala, según unos en 1645, y según otros en 1683, en la misma plaza de San Marcos y serán los precursores de los famosos Florian y Quadris, todavía vigentes.

En todo su recorrido, y como decía antes, el café pasa por etapas fomentado, por etapas prohibido. Veamos los argumentos: cuando a finales del siglo XIV se abren en La Meca las primeras tiendas de degustación de café, cuyo grano entra a través del puerto de Djedah, los peregrinos se reúnen en ellas, y faltan a sus obligaciones religiosas, lo que molesta a los líderes religiosos. Las mezquitas están vacías mientras que los Cafés llenos. Además, excitados por el café, no sólo habla de religión sino también de la peligrosa política.

En los establecimientos públicos había nacido, con el café, el prestigio de la libre expresión y la polémica, que propiciaba los osados placeres del pensamiento. Eso planteó el cierre de cafeterías y la prohibición de tomar café, primero en público, y luego en las mismas casas. En resumen, la incompatibilidad del café con el Islam. Cientos de sacos de café son quemados públicamente. Pero pronto cambiará la actitud, ya que el sultán de El Cairo, al que se informa de la drástica medida tomada en La Meca, era ferviente bebedor de café, y logra reunir a los más prestigiosos teólogos y políticos quienes por decreto del mismo sultán rectifican y revocan la orden dada. El café se volverá a tomar. Corre el año 1511.

El café turco fue y es una especialidad. En el fondo de la taza puede adivinarse el futuro de los bebedores.

Años más tarde, en 1575, en Estambul, entonces Bizancio, sucede algo parecido. Fanáticos sacerdotes llegaron a decir que era más honesta la taberna con sus vinos escandalosos que las Kahvehanés con su poción perfumada y dialéctica. Los ulemas propagaron que Mahoma nunca había tomado café y que si lo hubiese conocido hubiera estado contra él. Murat III llegó a consumar el cumplimiento del edicto, prohibiéndolo al igual que el vino, por la ley del profeta. Los musulmanes lo tomaron con la paciencia, resignación y el escepticismo que les caracteriza, guardando su secreta desobediencia en muchos casos. Al igual que en La Meca, el café fue autorizado después del mandato de Murat IV por la burla manifiesta que representaba su absurda prohibición.

Un excelente arabista francés, J. Antoine Galland —traductor en lengua francesa, la primera lengua occidental, de *Las mil y una noches*—, nos cuenta aspectos positivos y, sobre todo, no restrictivos del uso del café en la sociedad de esa época. No había en Estambul casa rica o pobre, turca o judía, en que no bebieran café una vez al día, y en ocasiones más de una vez, hasta el punto de que rápidamente el hecho de ofrecer un café a los visitantes se convirtió en una costumbre y se consideró una descortesía rechazarlo.

También comentaba Galland que en Constantinopla gastaban las familias tanto dinero en café para el consumo de la casa, como en París se gastaba para el vino. Era tan normal pedir en la calle para tomar un café como en París pedir para vino o cerveza. Una norma que se estableció en las bodas turcas era la de prometer el marido ofrecer siempre café a su esposa; de modo que era causa de divorcio el no cumplirla. Nunca podía faltar café en el hogar.

Todo el mundo podía ir a los Cafés sin distinción de clase o religión. Se iba a charlar, a hacer negocios. No había nada de vergonzoso en entrar en un café. Delante de estos lugares públicos se implantaron las terrazas con bancos o taburetes de paja para tomar el fresco, un café y regocijarse viendo a los transeúntes; todo un espectáculo.

A veces el propietario del local amenizaba la estancia con músicos de flauta y violín o incluso cantantes para atraer más público a sus locales. En otras ocasiones alquilaban a animadores de tertulias, cuentacuentos o narradores de leyendas para que controlasen la atención y el contenido de lo que se discutía. Todo estaba pensado para el éxito del café. Muy parecido a lo que ocurría hace escasos años en el mundo mediterráneo y latinoamericano.

EL CAFETO O PLANTA DEL CAFÉ. BENEFICIADO Y CAFETERAS

«Se precisan 1.600 g de café verde para obtener un kilo de café tostado y molido.»

El café es el fruto de un arbusto, de entre dos y siete metros de altura, actualmente tropical, que se denomina cafeto. Pertenece a la familia de las rubiáceas y al género *Coffea*. El aspecto de este fruto es el de una baya carnosa que evoluciona de verde a rojiza parda cuando madura, denominada cereza. Está cubierta por una capa rica en pectina que se denomina mucílago. Tiene en el interior de la pulpa dos granos de forma planoconvexa denominados cotiledones o simplemente granos de café, recubiertos por una fina capa de celulosa y otra más gruesa denominada pergamino.

Las cerezas, tal y como se denomina a las bayas del café, provienen de flores olorosas que se asemejan a las del jazmín y naranjo, y que apenas duran tres días.

Planta del café o cafeto. Fruto, grano y flor.

Para que la planta del café crezca precisa de unas condiciones de humedad y calor, además de una cierta altitud. En otros lugares incluso necesitan de otros árboles, frecuentemente leguminosas, para que protejan al cafeto de los rigores del tiempo. Las temperaturas óptimas en las que se desarrollará la planta oscilan entre los 18 °C y los 21 °C y una pluviosidad en la zona entre los 1.200 y los 1.500 mililitros por metro cuadrado. También es preciso que exista una estación seca que permita que salga la flor. Al igual que el cacaotero, el cafeto precisa de unos seis años para que dé una cosecha completa.

El café se clasifica de muchas maneras, en general por el tamaño; así, tenemos los de mayor tamaño y los de menor tamaño. Atendiendo a la forma, se conoce el característico «caracolillo» cuando uno de los dos cotiledones o granos crece en demasía y envuelve al otro, dándole ese aspecto típico de caracol. También el denominado triángulo, donde, debido a una mutación parecida a la anterior, se dan tres cotiledones con esa semblanza.

Respecto a la altitud en la que se dan sus plantas, y de una forma generalizada, en:

Buen lavado o prima lavado (entre los 400 y 600 m)
Extra prima lavado (entre los 600 y 900 m)
Café de altura (entre los 900 y 1.200 m)
Café estrictamente de altura (entre los 1.200 y 1.500 m)

Según las zonas se suprime el extra prima lavado y en ese caso el prima lavado pasará a segunda categoría. Pueden aparecer otras denominaciones entremedio como duro o extra duro para los cafés de altura.

El 90 % del café que se produce en el mundo pertenece sólo a tres clases o tipos: *arábica*, el de mayor porcentaje, *robusta*, en un 15 % y en escasa cantidad, *libérica*.

El café tipo *arábica* se da en tres continentes: África: Etiopía, Kenia, Yemen, Costa de Marfil, Uganda; Asia: península arábiga, Ceilán, Java, Sumatra, India, Filipinas, archipiélago malayo y, sobre todo, América: México, Guatemala, Honduras, El Salvador, Nicaragua, Costa Rica, Panamá, Colombia, Venezuela, Ecuador, Brasil, Jamaica, Martinica, Puerto Rico, Cuba, Santo Domingo, Guayanas y Hawai, esta última en Oceanía.

Dentro del género *arábica* existen variedades como Moka, de la región de Sidamo, en Etiopía, de grano pequeño, refinado, poca cafeína. También se da el Moka en Java. Bourbon, originario de la isla Mauricio. Taruzu de Costa Rica. Típica y Bucaramanga Excelso, de Colombia. Maragogype, de gran tamaño y resistente, de Brasil; los célebres Milds, en especial el Blue Mountain de Jamaica, de los más preciados y caros, rico en aroma, con cierto sabor achocolatado, aroma y acidez equilibrados. Antigua, de Guatemala, y el Volcán de Oro, de los más buscados por su sabor persistente y exquisito aroma. Kona, de Hawai, de fino cuerpo y acidez, con cuerpo que le da persistencia en la boca. Chiapas Superior, Pluma Hidalgo, de Oaxaca, Granica y Tapachula, en México, y cientos más que hacen las delicias del buen degustador.

El café tipo *robusta* se da en África, de donde es originario (Angola, Camerún, República Centroafricana, Madagascar, Tanzania, Costa de Marfil, Uganda y Zaire), y en Asia, sobre todo Indonesia y Vietnam. Existen variedades Robusta también en Brasil. De este género son conocidas y apreciadas las de Java, Corillón, Kouillou y Tamatave, de Madagascar, entre otras.

Las diferencias entre un *arábica* y un *robusta* podrían simplificarse, en primer lugar, por el aspecto externo del grano, y luego por el gusto y el olfato.

Atendiendo a la forma del grano, el primero es ovalado y alargado. Tiene el surco del grano curvado. Se da a mayor altitud, por encima de los 900 metros. La altura de la planta o cafeto es más baja, unos seis metros, y la hoja es menor que la segunda, la denominada *robusta*. Tiene menor o escasa acidez, bastante cuerpo, y el aroma es muy agradable. Este grano contiene menos cafeína.

El segundo grano, el *robusta*, es redondeado y ligeramente mayor. El surco es rectilíneo. Se da a menores altitudes, entre 400 y 700 m. Sin embargo, la planta puede alcanzar mayor altura, unos 12 m, con hojas de dimensiones entre 4 cm de ancho y 12 cm de largo. Tiene más cafeína y es más amargo que el anterior y con menos acidez aunque posea menos aroma.

El proceso de beneficiado del café es muy artesanal.

Recolección. Desde que el arbusto del cafeto florece hasta que se obtienen los primeros granos o cerezas maduras, transcurren unos siete meses. La recolección puede efectuarse de dos formas. Una selectiva, grano a grano, que denominan *picking* y que dará lugar a cafés más selectos. La segunda, la recolección total del fruto de la planta, de forma indiscriminada, con las manos o palos y luego se procede a la selección. A este sistema se le denomina *stripping*. Una vez recolectado el café, se procederá a la extracción de la semilla, el fruto, y eso se efectúa mediante dos procedimientos: el tratamiento por vía seca y el tratamiento por vía húmeda, aunque uno no excluye al otro y pueden darse de forma simultánea.

Tratamiento por vía seca. Primero, se lavan las cerezas, después de la recolección y se extienden en superficies planas o áreas de desecación, dejándolas secar al sol durante dos a tres semanas y removiendo de forma constante. Podría eliminarse el agua mediante máquinas secadoras, con lo que el tiempo de secado se reduciría a 3 o 4 días. Luego pasan a unas máquinas o molinos especiales que hacen estallar la pulpa y separan el grano del café.

Tratamiento por vía húmeda. Las cerezas seleccionadas se vierten en una corriente de agua, que a la vez de lavarlas las conduce hacia una máquina despulpadora, donde separan la pulpa del resto del grano, dejándolo fermentar y así desprender el mucílago. Posteriormente son lavados, por lo que también se los conoce como cafés lavados.

Secado y trilla. Una vez que el grano de café se ha separado de su pulpa deberá secarse al sol, durante dos o tres días. Se desprenderá el pergamino mediante la utilización de máquinas y se dará brillo al grano.

Selección, calidad y mezcla. Existe una nueva selección por el tamaño, color, forma, defectuosos, etc. La calidad de un buen café viene definida por el equilibrio de sus propiedades organolépticas, es decir, sabor, aroma y cuerpo, por lo que la mezcla se hace necesaria, al igual que en los buenos vinos, para lograr un producto final redondeado. No es de extrañar, pues, que se mezclen granos de distintas especies, variedades y procedencias. También será importante el tipo de molienda, según el tipo de cafetera a que vaya destinado. A cada cafetera su café.

Los granos de café verde irán en sacos de 45 a 90 kilos, según el tipo y la zona, preferentemente de yute o cáñamo. Lo normal son sacos o barriles de 70 kilos.

Este último conservará mejor el aroma. A todo el procedimiento de recolección y venteado, lavado, separación de la pulpa del grano, fermentación, secado, selección etc., que da como resultado el café verde, se denomina beneficiado del café.

Torrefacción o tueste. Es la acción del calor lo que despierta en el café sus aromas, haciendo, una vez más, que la mano del hombre lo convierta en un arte. Consiste en la cocción o tueste del café en máquinas torrefactoras, que someten al grano de café, durante unos minutos a diferentes presiones y temperaturas que oscilan entre los 190 °C y 220 °C, según sea un tueste ligero, mediano u oscuro.

Con el tueste el café pierde agua y un 30 % de su aroma. Además el café se degrada en contacto con el aire, por lo que habrá que envasarlo en bolsas especiales y al vacío, para que conserve todas sus propiedades. Es importante el proceso de enfriamiento posterior.

Nada tiene que ver el proceso de la torrefacción con el del café torrefacto, muy típico de los cafés españoles. Consiste este último en la adición de azúcar en el tueste, ya que es la única sustancia extraña que el café admite y permite añadir. Con ello se consigue una mayor resistencia al grano y brillo, frente al enranciamiento natural del café.

Según el tipo de cafetera que se vaya a utilizar se emplearán molinillos de cuchillas o muelas planas, cónicas o mixtas. Con ello

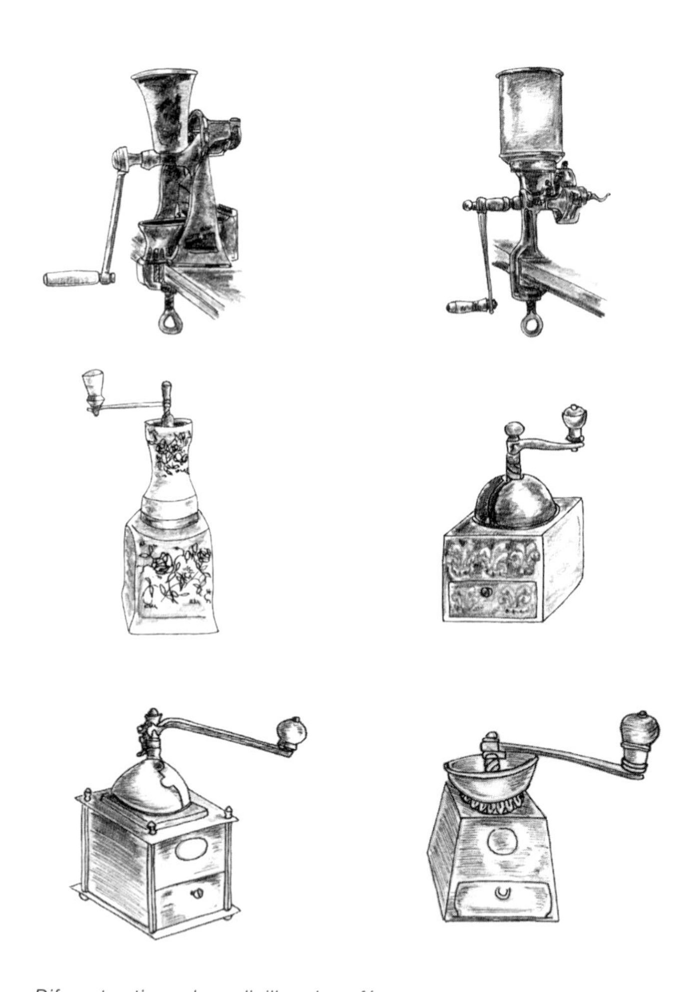

Diferentes tipos de molinillos de café.

se obtendrán diversos tipos de molienda fina, extrafina, granular, semi, etc. No importa el nombre que se le dé a la cafetera, puesto que todas utilizan el mismo principio en su preparación:

Infusión. El café molido se disuelve en el agua.

Percolación. Este último puede ser por gravedad, el café cae, y por presión, el café sube.

Dentro de la *infusión*, el más antiguo es el sistema turco. Consiste en depositar en una cafetera, bien de cobre o de latón, tipo «pava», polvo de café bien molido sobre el que se verterá agua y se dejará hervir junto con el polvo de café unos instantes. Se dejará reposar, uno o dos minutos, antes de servir y se hará lo mismo en la taza, que también dejará zurrapa o poso. Esta forma de servir café hervido ha sido mejorada con la filtración del café a través de un colador de tela, tamiz o mango. Se obtiene así el café puchero. Lo ideal es, si se emplea este procedimiento, que el agua no llegue a hervir. Así obtendremos el máximo de aroma y sabor.

Utensilios para preparar café turco.

Otro tipo de sistema de infusión es el de la *cafetera por émbolo*, también denominada de vacío. En un recipiente de vidrio se deposita café en el fondo y se le echará agua hirviendo. Luego a través de un émbolo metálico del mismo diámetro que la cafetera y que además filtra, irá separando el café sólido, que es aprisionado hacia el fondo, del café líquido, que queda en la parte superior.

En lo que se refiere al sistema de *percolación*, la cafetera podrá ser metálica o de plástico y cristal. Son las cafeteras tipo «americano» o melitas. El café molido se encuentra en un filtro de papel y el agua hirviendo cae desde arriba y pasa, por efecto de la gravedad, a través del café, a un recipiente situado en la parte inferior. El agua no cae rápida sino en fino chorrillo o gota a gota, obteniéndose un excelente café ligero y aromático.

La cafetera podrá ser a *presión*. En ese caso se compone de dos cuerpos metálicos entre los que se encuentra un compartimento con café en polvo. El agua está en la parte inferior y al calentarse se irá al compartimento superior pasando por presión a través del café y se depositará en el cuerpo superior.

Existe también el denominado sistema *Moka*, parecido a la cafetera a presión, y a un paso de la exprés. Es un recipiente metálico en el que el agua se encuentra en la parte inferior de la cafetera. Al hervir, y por efecto del vapor, pasará a través del filtro lleno de café, trasvasándose a la parte superior a través de unos grifos que llenarán directamente la taza.

El sistema *exprés* es un típico invento italiano de principio de siglo. En términos generales consiste en un recipiente con agua a 95 °C y una presión entre 7 y 9 atmósferas lo que permite la emulsión, en el vapor que pasa a través de los filtros, de las grasas naturales, de los coloides y gases, consiguiendo un especial aroma y sabor con una textura más densa y concentrada. Es el café de los latinos de Europa. El café de las Cafeterías.

Diferentes tipos de cafeteras a presión y exprés.

CAFÉS SOLUBLES O INSTANTÁNEOS, LIOFILIZADOS Y DESCAFEINADOS

El gran logro de este siglo ha sido el mejoramiento del proceso del café tostado y molido. Los intentos realizados por Gail Borden, el siglo pasado; por el japonés Sartori Kano, o por Federico Lehnoff Nyld, en Guatemala en 1911, no dan todo el resultado esperado. Habrá que esperar al inicio de la segunda guerra mundial, cuando el Departamento de Defensa de los EE.UU. investigue para conseguir un café práctico para las tropas en campaña. No obstante, y por encargo del Gobierno brasileño, la compañía Nestlé investiga y logra un perfecto desarrollo de los cafés solubles en 1930. De todos es conocido el famoso Nescafé, que «es café. Sólo café. La 'N' es de Nestlé», rezaba su eslogan publicitario, con música añadida.

El procedimiento de extracción, deshidratación y recuperación de aromas se realiza en tres fases:

Extracción. El café tostado y molido pasa a través de varios extractores a diferentes temperaturas. El extracto se bombea y se obtiene un líquido concentrado denominado licor de café. Una vez separadas las grasas, ceras y demás impurezas del grano, se filtra.

Deshidratación. Luego se bombea el café a una torre de desecación de 20 a 30 m de altura y se deja caer en forma de fina lluvia, pero a 250 °C, perdiendo la mayor parte de la humedad. El polvo obtenido es el café instantáneo. Para darle el aspecto granulado se le inyecta vapor para que adquiera un 13 % de humedad, que desaparecerá después. Más tarde se aromatiza.

La deshidratación se puede hacer mediante el procedimiento de la *liofilización*, por el cual el licor de café antes obtenido se congela a 40 bajo cero. Se coloca en cámara de vacío y calor, transformándose los finos cristales de café congelado de color oscuro en polvo de café deshidratado, semejantes al molido, que en contacto de nuevo con el agua se convertirán en lo más parecido a un buen café. Con la liofilización se pierde un poco de aroma y sabor, por lo que habrá que volver a aromatizar.

Aromatización. No hay nada como el café recién preparado y natural, por lo que en estos procesos sólo se intenta restituir todo el aroma que se pierde en el tueste, molienda y extracción.

Café descafeinado. Consiste en desproveer al café de su alcaloide fundamental, la cafeína mediante procedimientos químicos. Existen varios procedimientos. El más sencillo, aunque poco utilizado, consiste en la colocación de los granos verdes de café en tanques con agua caliente. Se los deja reposar y el agua obtenida se bombea a otro recipiente para mezclarla con un disolvente que combina con la cafeína. Ésta se separa, en gran parte, del grano, que seguirá el mismo proceso de tueste, pero con una notable reducción de la misma. La cafeína obtenida se venderá a la industria de refrescos que la utilizará para fabricar las famosas «colas».

Los disolventes tratados son el tricloretileno y cloruro de metileno. Otros procedimientos consisten en tratar el grano verde con vapor de agua a presión o anhídrido carbónico comprimido. En realidad, si no es por un rechazo físico, es una pena que en aras a unas teorías de una, cada vez más falsa, salud alimentaria, consigamos eliminar toda posibilidad de los excelentes placeres gastronómicos. Si tomar vino o cerveza sin alcohol, café sin cafeína, chocolate sin cacao, o pan sin harina es vida, que bajen de arriba y lo vean.

Café sucedáneo. Es cuando suplantan o sustituyen el grano del café por otras sustancias vegetales o químicas por tener parte de las cualidades de la planta del café, como sabor, aroma y acción estimulante, como la cafeína. Las más utilizadas son las raíces de la remolacha mezcladas con garbanzo, cebada, maíz o centeno.

CAFEÍNA, CAFEONA Y CAFEÍSMO

El café, tal y como se toma de forma generalizada, es el resultado de la infusión de los alcaloides y otras sustancias contenidas en el grano, después de una serie de tratamientos como la selección, el tueste, la molienda, etc. en un líquido que tiene un color oscuro. Es muy aromático, tiene una cierta acidez y es amargo. Contiene una sustancia que se llama *cafeína*, que es la responsable de una serie de acciones estimulantes sobre el organismo. Su fórmula química responde a la trimetil xantina, similar a la teína o teofilina del té o a la teobromina del cacao o chocolate.

La cafeína, una vez sintetizada y separada del grano de café, tiene aspecto de un polvo blanco, cristalino, muy amargo. Fue localizada y separada en 1820 por Runge. Una vez que el café es ingerido, la cafeína llega al cerebro en unos 15 segundos, y al resto de los tejidos hasta cinco minutos después. Muchos estafadores y narcotraficantes utilizan esas pastillas como sustituto de drogas de diseño.

Una taza de café normal contiene de 10 a 12 gramos de café y 80 % de agua. Según el sistema utilizado, un café instantáneo tendrá unos 75 miligramos de *cafeína*. Un café percolado, 85 miligramos y un café exprés hasta 125 miligramos.

Tomarse dos o hasta tres tazas de café al día puede considerarse normal. Tomarse más de seis cafés al día, equivalente a unos 600/800 miligramos de cafeína, puede provocar trastornos como ansiedad, inquietud, dolor de cabeza, palpitaciones.

Una taza de té contiene entre 30 y 50 miligramos de cafeína; una onza de chocolate, entre 5 y 20 miligramos y una lata de cola entre 30 y 50 miligramos. La cafeína es letal en cantidades del orden de los 6 a 10 gramos, lo que equivale entre 60 y 100 tazas.

En breves palabras describiremos los efectos de la cafeína, en definitiva del café, en términos de positivos y negativos.

Positivos:

— Es digestivo y agradable. Aumenta la motricidad intestinal. Estimula las secreciones digestivas.
— Es excitante. Activa funciones sensoriales y cerebrales.
— Actúa sobre el corazón como tónico cardíaco.
— Disminuye el sueño y la sensación de fatiga.
— Ayuda a quemar el alcohol y a pasar la resaca, gracias a la vitamina PP.
— Contrarresta el efecto de la nicotina, en el sentido de remediar el malestar de la nicotina en los primeros cigarrillos.
— Contrarresta la acción de la adenosina que es un tranquilizante natural del sistema nervioso central.
— Aumenta la fase del estado dos o sueño ligero, mientras disminuye la del sueño profundo.
— No está demostrado que aumente la glucemia.
— Facilita el trabajo mental y muscular. Actúa sobre el músculo estriado.
— Es antiinflamatorio, va bien contra el asma y potencia el ácido acetil salicílico o aspirina.
— Es diurético.

Negativos:

Por el contrario, puede resultar negativo o perjudicial en algunas personas, si se toma en altas dosis.

— La presencia de ácidos grasos puede producir acidez o afectar a la vesícula biliar. También es contraproducente en las personas que padezcan úlceras.
— Eleva la presión arterial y el ritmo cardíaco. No es muy recomendado a quienes sufren del corazón. Aumenta la taquicardia a partir de los 250 a 300 mg de café. No existe una relación demostrada entre consumo de café y enfermedades cardíacas.

— Aunque aumenta el nivel de colesterol, al aumentar también la dilatación de la arteria coronaria, se contrarrestan ambos efectos.
— En grandes dosis aumenta el riesgo de mortalidad coronaria, en un 2,2 % en los hombres y en un 5,1 % en las mujeres.
— En grandes dosis puede producir insomnio, irritación, cefaleas, confusión mental, pérdida de memoria, ansiedad, etc.
— Puede crear un efecto de drogodependencia, no pudiendo vivir sin tomarse menos de cinco o seis cafés al día.
— La cafeína es letal entre los 6 y 10 gramos.

De todas formas, dependerá de las características metabólicas de cada persona, de la cantidad de café ingerida, y por lo tanto, de

cafeína que ésta tenga. Con alimentos y de forma espaciada la cafeína se absorbe mucho mejor.

De manera generalizada no se ha establecido relación de causa-efecto entre el café y el cáncer; y en las embarazadas no existe contraindicación, siempre que, como en todo, el consumo sea moderado.

Otro componente del café es la denominada cafeona, una esencia volátil que, debido a sus componentes grasos, desprende ese aroma característico, profundo y penetrante, típico del café.

Por último, y para concluir este breve capítulo sobre las características del café, hablaré del cafeísmo, que es el fenómeno resultante del consumo continuado y elevado del café. Es un síndrome con un cuadro de características que definen de forma general a los consumidores que abusan del café. Podríamos hablar de la cafedependencia, caracterizada por la pérdida del apetito y posterior adelgazamiento, temblores en las manos, irritabilidad, insomnio, ansiedad y angustia, fallos en la memoria, náuseas, convulsiones, zumbidos y vértigos, dolor de cabeza, etc. Por ello, se puede degustar con placer y beneficio para el cuerpo y alma sin necesidad de abusar. Ahí está uno de los secretos sencillos de la vida.

ALGUNAS CONSIDERACIONES DE LOS CAFÉS EN EUROPA

«El café, puede que sea un veneno, pero debe de actuar de forma muy lenta porque hace 85 años que lo tomo y me sienta muy bien.»
(Voltaire)

Si Viena se enorgullece de ser la pionera del café de Europa, fueron los italianos y la ciudad de Venecia quienes lo popularizaron. Así Johan Vesling (1598-1649) alemán, que además de médico era botánico y viajero, discípulo de Alpino, acabó instalándose en Venecia y escribió sobre «... las ciertas cualidades de la bebida que se obtenía a partir de las habas del café...». También a su paso por Egipto señaló la existencia de mil cafeterías en El Cairo y el detalle de que «endulzaban el café además de con azúcar, con ciruelas dulces confitadas».

Y siendo Italia un país católico, problemas con la Iglesia. En esta ocasión, los «ulemas» de negro, es decir, los curas teólogos de sotana y coronilla, le van con el cuento al papa Clemente VIII para que prohibiera esa bebida inventada por Satanás. Aquél no quiso perderse la posibilidad de probar tan discutida bebida y debió de gustarle puesto que dijo: «Esta bebida es tan deliciosa que sería una pena dejarla sólo para los infieles. Habrá que echar a Satanás mediante el bautizo» y de esta forma la convirtió rápidamente al cristianismo.

Respecto a la existencia del café, Morosini, cónsul veneciano en Turquía, escribía allá por 1585 que los turcos conocían y bebían cierta agua negra, tan caliente como la pudiesen resistir, a partir de una baya que denominaban cavé. Además, estimulaba el ánimo y daba vigor al que la bebía.

Por su parte, Pietro de la Valle, italiano como el anterior, escribía en 1615 que «los turcos tienen una bebida de color negro que refresca en verano y calienta en invierno, siendo siempre la misma sustancia. La denominaban cahué».

En Italia, el papel de Venecia y sus célebres Cafés, de los que hablamos a continuación, como el Florián y el Quadri, es importantísimo, pero vale la pena citar antes las circunstancias de la aparición del Caffé Pedrocchi en Padua. Antonio Pedrocchi (1776-1852) vendía helados y limonadas y ahorró para hacer un pequeño hostal destinado a los muchos estudiantes que tenía la ciudad. En la construcción de una vieja casa, entre los muros, encontró un tesoro y, lejos de retirarse a vivir, siguió con el proyecto hasta que

«Nobles en el café» G. Grevembroch 1754.

en 1831 se abrió al público, aunque todavía hicieron falta once años más para completarlo. Fue una cafetería de reconocida fama, y con razón la llamaban «La Catedral», tanto por su semejanza arquitectónica como por sus fieles parroquianos.

En 1764, aparece la publicación *Il Caffé* en Milán, de Pietro Verri; se trata del primer documento escrito que lleva el título de esta bebida. En Nápoles aparecen el Gran Caffé y el Europa, también el Caffé de Italia, y, sobre todo, el conocido Gambrinus fundado en la última década del siglo pasado; de él decían que era el balcón, el ojo y la lengua de Nápoles. He conocido muchos Cafés Gambrinus. El de Zaragoza, en especial, desapareció, pero actualmente se ha reabierto, en el mismo lugar y con el mismo nombre.

Cuenta el cronista mexicano Salvador Novo que París conoció el café cuando, en 1669, el entonces embajador turco llamado Solimán Aga lo introdujo en la corte versallesca de Luis XIV —llamado el «Rey Sol»— de forma ingeniosa: se hizo vestir con ricos ropajes, se colmó de diamantes, se maquilló con kolh —que es el rímel de los árabes— e impresionó a todas las cortesanas de París, ofreciéndoles este excitante y costoso producto. Había alquilado un palacio —que otros dicen que era la embajada— que decoró con maderas perfumadas cortinajes, almohadones, luces tenues y le dio un ambiente de confort, relax, lujo y lujuria. No había una sola silla, sólo alfombras y cojines. Hizo servir café a través de los *battaghis*, esclavos negros y bien parecidos, enseñados a preparar y servir el café a sus señores y señoras, lo que animó más si cabe a la selecta clientela. Los nobles empezaron a enviar a sus esposas, o sus esposas insistieron en asistir a tan fastuosas citas. Dicen también que fue en estas reuniones donde se empezó a tomar el café con azúcar, cuando una noble dama dejó caer en su café un terroncito destinado a uno de los muchos pájaros que había por allí.

Otro acontecimiento singular y casual hace que Viena se convierta en la capital cafetera por excelencia. Durante el verano de 1683, la ciudad del Danubio estuvo sitiada por las tropas turcas, al mando de Kará Mustafá y con un ejército que se calculaba en más de 300.000 soldados. Un polaco llamado Kolschitzky, que había servido con anterioridad en el ejército turco, se ofreció como colaborador y enlace al conjunto de tropas cristianas defensoras de la ciudad, formadas por tres pequeños ejércitos: el del príncipe de Lorena y Eugenio de Saboya que era el ejército de liberación del rey Leopoldo de Austria en el exilio; el del propio rey de Polonia, Juan Sobieski, y el del comandante de la plaza sitiada (Viena), Starhemberg.

El hábil papel de Kolschitzky consistió en coordinar las tres fracciones del ejército defensor, haciendo de correo y espía y ayudando a destrozar al enemigo turco de Kará Mustafá, que empezó a desmoronarse a partir de ese momento. En la huida precipitada el ejército turco dejó enseres, tiendas, bueyes, camellos, cereal y varias carretas repletas de sacos de café. Todo el botín de guerra se reparte entre los ejércitos participantes sin que nadie repare en aquellos granos de café. Pero el hábil polaco solicita esa parte como recompensa por sus servicios, que le es entregada sin titubeos.

Él bien sabía lo que aquello valía y se puso a preparar café en Viena. Su tienda se denominó La Botella Azul. Hoy es el celebrado patrón de todas las ricas y lujosas cafeterías de la ciudad, donde se degustan excelentes cafés acompañados de apetitosos dulces, como la tarta Sacher con chocolate y los Kipfels, especie de bizcocho, con los que los vieneses meriendan. Espero que mi amiga Anja me invite a una *jause* o merienda en uno de esos Cafés vieneses... Cada barrio posee hoy en día esos viejos locales, donde leer el periódico o incluso escuchar música, se convierten en una delicia y en un rito.

Cafés con espejos empañados, viejos terciopelos y clientela devota, tal y como los describiera el maestro de los maestros, Néstor Luján. El desaparecido Café Silberne, donde toda la cubertería e incluso las tazas eran de plata, así como también los botones del uniforme de los camareros; el Café Griensteidl, de 1848, conocido por sus tertulias y demolido en 1896. Karl Kraus escribió un texto titulado *Literatura demolida* refiriéndose a la muerte de un centro vital de la cultura austriaca: El Kafe Zentral (KZ). Siempre hay un Café central en todas las ciudades, pero en éste tuvo la suerte de tomar café Trotsky, y era, además, frecuentado por Altenberg y el propio Kraus. El Café Dommayer, donde tocaban los valses los mismísimos Strauss; el Café Herrenhoff, el Café Museum y el Café Hawelka, fundado en los años treinta y donde se puede tomar unos de los mejores cafés de Viena. No se han hecho reformas, por eso sigue siendo fiel a su origen y visitado con admiración.

En Alemania fue un comerciante inglés quien abrió la primera cafetería en Hamburgo, adonde los marinos holandeses llevaron café desde las ex colonias de Indonesia, cuya capital, hoy Yakarta, se conocía como Batavia. Ciudades como Regensburg y, sobre todo, la estudiantil Leipzig, lo inauguraría en 1694. Luego Nuremberg, Stuttgart y, en especial, Berlín. Son bien conocidos los viejos Cafés de Berlín, como el Café Josty, el Kranzler, destrozado en la segunda guerra mundial, o el vigente Sperl, como el de Viena, donde los parroquianos y parroquianas siguen leyendo atentos su periódico, o, más bien, el ofrecido por el establecimiento. El Bauer fue el primer Café de Berlín que dispuso de luz eléctrica.

En el Reino Unido la cuestión fue un poco más complicada por el difundido consumo de té, aunque después de Venecia, que lo hizo en 1645, fue el segundo país de Europa en disponer de cafeterías. Lo hizo en 1652. París en 1675, si bien la ciudad de Marsella lo hizo unos años antes. Hamburgo en 1679 y Viena en 1683. España, que había importado de América el café en 1529 tarda unos años en consumirlo, aunque arraigó bien pronto y con fuerza. Son bien conocidos los populares Cafés de tertulia en Madrid, Cádiz y Barcelona.

La primera ciudad inglesa en disponer del café fue Oxford, en 1652, donde se instaló la primera cafetería en un lugar denominado El Ángel en la parroquia de San Pedro, en el este. Más tarde, en 1656, Anthony Wood tomó una bebida anunciada según una publicidad del momento, como «inocente y simple, incomparablemente buena para los afligidos por la melancolía».

Fue un mercader llamado Daniel Edwards, que había estado en la ciudad de Esmirna, quien lo llevó a Londres. Edwards se había asociado con un judío de origen griego llamado Pasqua Rosée quien, tras reñir con su socio, montó su negocio cerca de la iglesia de St. Michel-Cornhill. En el Museo Británico se conserva el documento en el que este griego se autoanuncia: «la virtud de la bebida café, por primera vez y públicamente, hecha y vendida en Inglaterra por Pasqua Rosée». Añadía: «El café estimula el espíritu y aligera el corazón; es bueno contra los ojos irritados, excelente para prevenir y curar la inflamación, la gota y el escorbuto, y no es ni laxante ni astringente.»

Hay otra versión que explica que Pasqua no era sino el criado de Edwards y que, aprovechándose de las circunstancias y de las amistades, se adelantó a su dueño. Lo que sí es cierto es que tuvo que emigrar rápidamente a La Haya, inaugurando el primer Café en los Países Bajos. A partir de aquí proliferarán los *coffe-houses* por todo el país como claro preludio del origen de los clubes tan típicamente ingleses.

Gracias al diario de Samuel Pepys podemos descubrir muchos aspectos de los Cafés londinenses de la época. En este diario personal anotó cuidadosamente durante casi nueve años, de 1660 a 1669, los acontecimientos políticos, sociales y culturales más relevantes, así como una clara referencia a los tres elementos mágicos importantes del momento que hicieron aparición en aquel Londres oscuro, húmedo y lluvioso: el té, el café y el chocolate.

En el libro ya citado *Chocolate, oro líquido* comenté aspectos respecto a esa valiosa materia que era el cacao. En este citaré lo que Pepys habla del café. En primera instancia, hace referencia a la creencia de que el café restaba potencia sexual; claro que no venía de él sino de un movimiento feminista, que pudo hacerlo muy impopular. Al poco tiempo otro manifiesto, esta vez de caballeros, desmentía rotundamente lo anterior y ponía en evidencia las probadas y excelentes cualidades de esta bebida.

Suiza también lo rechazó en una primera instancia y de forma paradójica, ya que años después una de las firmas mundiales más importantes del café, la fundada por Henry Nestlé, se establecía en Vevey. El edicto que lo prohibía en 1769 decía así: «El abuso del café debilita las fuerzas corporales, y es causante de estragos entre las gentes del campo, entre quienes se presentan ya signos de sus nocivos efectos.»

CAFÉS CON PEDIGRÍ EN EUROPA

«El mundo se divide en dos clases: los que van a los cafés y los que no los frecuentan nunca. Son mentalidades completamente distintas y contrapuestas. Los que van al café, infinitamente superiores.»
(G. Courteline)

CAFÉS ITALIANOS

Café Florián.

Café Florián (Venecia)

«Se cambia más fácilmente de religión que de Café.» (G. Courteline)

En 1683, Venecia abre su primer Café. La mayor partes de las *bottegas* de la plaza de San Marcos se convertirán en cafeterías. En 1720 Floriano Francisconi inaugura y rige lo que será el Café más emblemático de Europa, aún vigente y recomendado, junto con el Procope de París. Recuerdo haber tomado café en el Caffè Florián en dos ocasiones, una, la primera vez que pisé Venecia en 1976, camino hacia Oriente, y en la que otras cosas ocuparon mi mente, por lo que me pasó un tanto desapercibido —a no ser por lo abultado del importe—; y una segunda en 1994, mucho más tranquilo, donde me ocurrió una pequeña anécdota.

Junto a las mesas que se encuentran en la terraza de la plaza de San Marcos, un conjunto de música clásica amenizaba la estancia en un atardecer tranquilo. Los maestros, de chaqué gris, estaban más pendientes de otra cosa que de la propia música, y era nada menos que de un televisor en blanco y negro, escondido entre las plantas, partituras e instrumentos acústicos, que retransmitía un partido internacional de la escuadra *azurra* en el mundial de fútbol. Cosas del café.

El interior del Florián es una maravilla, con apartados ricamente decorados, paredes forradas de cuadros clásicos de ángeles tocando el arpa. Lámparas de mesa con esculturas humanas, luces indirectas y tenues, mobiliario regio, cómodos sillones alargados, maderas nobles, tranquilidad y comodidad para poder pensar y hablar de lo que se quiera. Por las mañanas de antaño, solían visitarlo mercaderes, comerciantes, trabajadores. Por la tarde, clases altas y damas con antifaz incluido. Luego, jugadores, prostitutas de clase y otras cortesanas, espías y demás sujetos variopintos. Hoy, todo tipo de turista de cualquier lugar, que desea emular tiempos anteriores.

Este Café denominado la Venecia Triunfante es tan sólo un reflejo de lo que fue. A partir de 1760, centro de prensa y casa de juego, cerrada a veces por la policía o por políticos inquisidores. Gasparo Gozzi escribió de él en el año 1765: «No se tiene el sentimiento de ver una tienda o un café sino un auténtico espectáculo de teatro. Allí se instalan las mejores pinturas que representan jardines, pájaros salvajes, cascadas de agua... cómodos y mullidos sillones te tienden los brazos a lo largo y ancho de seguros canapés y, sin embargo, en otros momentos, agitados banquetes. ¿Podrías tú mismo tener mejor servicio en tu casa?»

Por el Café Florián, al igual que por el Quadri, han pasado desde lord Byron en sus épocas de apasionadas aventuras venecianas, hasta Goethe. Desde Jean Jacques Rousseau, ya enfermo, a Musset y los contemporáneos Igor Stravinski, el recientemente fallecido Federico Fellini y el polifacético Ernest Hemingway.

Café Greco (Roma)

«Lugar donde resulta casi imposible reconocer a nadie y en donde, a pesar de todo, la gente se reconocía con júbilo.»
(Gérard G. Lemaire)

Según la guía del Café, las primeras noticias de este establecimiento datan del siglo XVIII, concretamente del año 1760, fundado por un griego de nombre Nicola della Magdalena, aunque según las «memorias» de Giacomo Casanova, estaba funcionando desde antes, con el nombre de «Caffè de la rue Condotta».

Sala Victor Manuel II del Café Greco.

Un escrito del pintor francés Pierre Paul Prud'hon, fechado en 1760, habla de este local como núcleo de artistas e intelectuales de la época. A partir de 1779 J.H. Tischbein y Karl Moritz lo frecuentan de forma regular en compañía del célebre Wolfgang von Goethe, quien lo recomendó, como obligada cita romana, a todos sus amigos alemanes. A pesar del intento del cambio de nombre —pretendían llamarlo «Caffè Tedesco»—, se consolida como el centro de pintores, escultores, literarios y políticos de todo el siglo XIX. Ludwig Passini, en 1852, inmortalizó el local en una acuarela que se encuentra en el Kunst Hall de Hamburgo. La verdad es que poco ha variado desde entonces y su estructura y decoración han permanecido intactas durante todo este tiempo, a Dios gracias. Luis I de Baviera, el que fuera Papa León XIII, Joaquín Pecci, Stendhal, Byron, Shelley, Andersen, Chateaubriand, Schopenhauer, Leopardi, Baudelaire, Mickiewicz, y un largo etcétera frecuentaban este insigne local. También escultores y pintores como Corot, Vernet, Cornelius, Anselm Feuerbach; compositores como Rossini, Berlioz, Mendelssohn, Bizet o Liszt o el mismísimo Wagner.

Si pasear por Roma es un privilegio, acabar por esas callejuelas que conducen a la plaza de España es una frivolidad, y es que son tantas las marcas de moda y diseño que se reúnen en apenas un centenar de metros, que me dan que pensar. En el número 86 de la calle Condotti, se encuentra entre tanto «innovador», un local que se anuncia como el Antico Caffè Greco. Desde la entrada, que es el bar, no se pueden adivinar los tesoros que encierra, aunque dos pinturas que representan vistas de Venecia, de Hipólito Caffi puedan darte una ligera pista.

Allí el sobrio, canoso y bajito Pietro te acompañará hasta la primera o segunda sala, franqueadas por arcos. Son lugares de espejos y pinturas, sillones aterciopelados en rojo, mesas pequeñas y redondas, de mármol pesado, soportadas por gruesos trípodes de madera labrada. La verdad es que un café o un *capuccino* te cuestan entre las 9.000 y 10.000 liras, que al cambio son entre 5 $ y 6 $, pero el espectáculo vale la pena. A la izquierda un pasillo bien decorado con mesitas y pinturas. A la derecha una sala alargada que denominan el *Ómnibus*, con medallones y otras pinturas. Está llena de japoneses curiosos que se toman el café más cultural del mundo. Al final una sala-biblioteca selecta y reservada, que denominan Sala Rossa.

He observado una foto firmada por el mismísimo Buffalo Bill, que data de 1903, en la que el héroe norteamericano saluda al no menos célebre Café. ¡Qué cosa!

En 1948 se reciclan en el Café los jóvenes pintores abstractos y se convierte en sede del Art Club. Eran años de la posguerra mundial y la crisis se hizo notar. Las máquinas demoledoras iban a sepultar lo que durante mucho tiempo fue un lugar sagrado, y en ese instante el cariño y recuerdo de un pueblo salió a la calle para pedir clemencia por el viejo local, y consiguieron que se conservara como un lugar de interés histórico y nacional. Sucedió el 14 de agosto de 1953.

He salido a la calle, todavía con la imagen de ese lugar, con el regusto del café. Otra sensación me ha desmontado. La música de un violín huérfano y romántico juntamente con la visión de la escalinata de la plaza de España, iluminada por el sol. No hubiese querido irme nunca de Roma. Nunca.

Otro Café emblemático de Roma fue el viejo Café Aragno, hoy transformado en el Café Alemagna, remodelado de forma moderna. También aquel ubicado en la plaza de Montecristo junto al Palacio de la Cámara de Diputados, el Guardabassi, muy frecuentado por políticos, el Caffè del Onore y el Michelangiolo, sede de pintores de la escuela *macchia*, «mancha», en italiano.

Italia, como país latino, conserva sus tradiciones y está llena de bellos Cafés, tanto en las grandes ciudades como en los pueblos. Fue, como en otras muchas cosas, el país que propagó el café por todo el mundo, a través de Venecia.

CAFÉS PARISINOS

«El café fuerte y en abundancia me hace muy vivaz, me inspira ardor, fuerza y un suave dolor que no deja de causarme placer.»

(Napoleón Bonaparte)

Procope y otros Cafés

La historia de este gran Café parisino se inicia con un armenio llamado Pascal, a quien los estadounidenses se han empeñado, como en casi todo, en americanizar. Este señor puso un puesto en la zona de Saint-Germain donde se vendía por primera vez café al público. El negocio le debió de ir bien, ya que reunió dinero para otro local y hasta para contratar a un camarero de la nobleza italiana venida a menos, llamado Procopio.

Cuadro de Vayreda C. del Café Procope.

Corría el año 1672. Como era de suponer, no pasaron ni tan siquiera once años más, cuando el avispado italiano se independizó y montó su propio negocio, afrancesando en primer lugar su nombre. De ahora en adelante se llamará Procope. Era 1686. Atento a lo que ocurre en Viena, lugar de moda de los grandes Cafés, decide mejorar la técnica de hacer café y consigue un bonito local primero en Fossés Saint-Germain y, por último, en la calle de la Ancienne-Comédie, donde sigue en la actualidad. Eran famosos sus granizados de café, helados a la vienesa, jarabes, dulces y sorbetes. Incluso ofrecía finos vinos para el aperitivo, y, como dice Maguelonne Toussaint-Samat,* era un lugar en el que por poco dinero se podía gozar de un lujo nada común, sobre todo para gente corriente. «El lujo es una garantía de la buena calidad de las consumiciones» rezaba una publicidad de la época.

No fue el Procope el primer Café de París. Un compatriota de su anterior patrón, también armenio, llamado Maliban, había abierto en 1675, en el número 28 de la calle Buci, el que sería pionero de los locales de París. Posteriormente se le conocería como Bussy.

Era el Procope un Café literario y, según dijo Néstor Luján, «una institución democrática y abigarrada, cuyas discriminaciones las hacen simplemente, pero con rigor, los clientes».

* TOUSSAINT-SAMAT, Maguelonne: *Historia natural y moral de los alimentos*, Madrid, Alianza editorial, 1991.

Al igual que en el más reciente Café de la Ópera de México, esperaban en el Procope todas aquellas mamás de las damitas de la Comedia Francesa, los espectadores antes o después de salir del espectáculo, militares de permiso, jugadores de ajedrez, donde destacaba F.A. Philidor, quien retaba al noble juego a todo el que se le pusiera por delante.

En el Procope escribían las más viperinas plumas del momento, Pirón y Voltaire, por citar un ejemplo. Ya comentaba en el prólogo que Diderot y D'Alembert, clientes de este Café, fraguaron en él *La Enciclopedia*, que implica el conocimiento circular, completo de todas las materias, de ahí su nombre. También el célebre Beaumarchais se tomó sus cafés mientras se representaban *Las Bodas de Fígaro* y Puccini haría lo mismo con la *Bohème*. Los líderes de la Revolución francesa, Danton, Marat, Robespierre y Desmoulins, lo utilizaron como antro para sus conspiraciones. En esa época el Procope se denominaba Zoppi, nombre del propietario del momento.

Más tarde sería un lugar tranquilo con Victor Hugo, Teófilo Gautier, Alejandro Dumas o la misma George Sand quien se fumara sus largos cigarrillos, antes de su idilio con Chopin, y un mal vestido y despeinado personaje que se pasaba horas delante de un triste café: era Bonaparte. Con una clientela así no es de extrañar que el Procope fuese y sea un lugar querido y frecuentado, máxime si se acercara de forma constante un tal Paul Verlaine quien se emborrachaba y bebía café, con mucha frecuencia, convirtiendo el lugar en muy popular en su tiempo.

En 1872 lo compró la baronesa de Thenard, quien lo mantuvo como café y le dio cierto prestigio, que había decaído. Cuando se vendió llegó a ser restaurante vegetariano. En 1952 volvió a ser café-restaurante, aunque sin sello ni personalidad en sus platos. No tuvo la suerte del Café Chartres donde el excelente cocinero, Raymond Oliver, le dio su toque personal convirtiéndolo en uno de los favoritos de la incomparable ciudad gala.

Otros Cafés importantes de París fueron el Café Méchanique y el Café de Foy, el cual guarda la anécdota de que fue ahí donde el 12 de julio de 1789, subido en una de sus mesas, Desmoulins arengaba a los viandantes con su célebre y constante grito: «Hon-Hon-Hon» ¡A las armas! ¡En nombre de la libertad! Primero blandía un trapo verde a modo de bandera como símbolo de la esperanza, sin percatarse de que era también el símbolo del conde de Artois, por lo que se decidió rápidamente por la actual bandera tricolor.

No lejos del boulevard Montmartre, en el boulevard du Crime, se encontraba el Frascati. También el Paphos, y el Café de Mme. L'Hardy, conocido por sus desayunos. Este Café fue reemplazado en 1839 por la Maison Dorée, decorado con gran belleza y de gran prestigio tanto por sus clientes como por su cocina. Recuerdo que en Barcelona existió otro café denominado Maison Dorée, ya desaparecido, en la mismísima plaza de Cataluña, al igual que un L'Hardy en Madrid.

Britot 1958, pintura de T. Foujita (museo Carnavalet de París).

Coetáneo con la Maison Dorée estaba el Riche, frecuentado por Flaubert, los Goncourt, Maupassant, Offenbach, etc. Se decía: «Hace falta ser muy rico para comer en casa Hardy y muy atrevido para hacerlo en casa Riche», eso mismo dicho en francés rima perfectamente y se juega con las palabras: «Il faut être bien riche pour dîner chez Hardy, et bien hardi pour dîner chez Riche.»

En 1826 nació, y sobrevivió hasta la IV República, el Café de la Ville de Naples, en el boulevard de los Italianos. Se le denominará luego Le Napolitain y, por último, simple y sencillamente «Napo». Catedral del espíritu de 1900, por él pasaron Monet, Lautrec, Rodin, Sarah Bernhardt y J. Jaurès entre otros. ¡Casi nadie!

Otro sacrosanto lugar fue el Café Momus, inmortalizado por el libro de Henri Murger *Escenas de la vida bohemia*, aunque su auge fue tal, que se puede hablar de dos épocas en el París de la época: la de antes y la de después del Momus.

Hoy resulta además de un lujo, un placer, el poder pasear por el barrio latino de París, sentarse en una de las mesas de las innumerables terrazas y evocar de forma fácil aquel Mayo francés del 68, que tanta trascendencia tuvo en una generación.

CAFÉS DE LISBOA

«¿Por qué ponen siempre barro en el café a bordo de los barcos de vapor? ¿Por qué el té suele tener un sabor a botas hervidas?»
(W.W. Thackeray)

A Brasileira y otros Cafés

A la entrada del Café llama la atención un rótulo en madera labrada en cuyo centro un señor empuña una jarra o taza. Reza: «O melhor caffe é o A'Brasileira», y muy pronto cumplirá el centenario de su apertura. En el año 1896, a un tal Sr. Telles Tabare, que había hecho las Américas, concretamente en Brasil, se le ocurrió abrir una tienda de café importado, en la empinada y céntrica calle de Garret, del barrio de Chiado. El Sr. Telles, que además de negociante gustaba de quedar bien con sus clientes, ofrecía probar café de los granos que vendía, y esa costumbre se convirtió en habitual, por lo que el hombre cambió la tienda de venta de grano de café por la de un Café en toda la regla, en 1905.

En 1915 —me explica el actual gerente y amable Sr. Cardoso— se decoró el local tal y como hasta ahora perdura, y que resulta una pura maravilla que intentaré vagamente resumir. Es largo, unos 30 m, y estrecho, 10 m. Nada más entrar, un garito al más puro estilo americano, o «boliche» que dicen los argentinos, donde te venden chucherías, diarios y tabaco. Una idea excelente para los que, como yo, fumamos puretes y leemos las noticias del periódico. También una vitrina donde se muestran los cafés que se venden y toman en la cafetería. Un enorme mostrador en cuya primera parte se exhiben pastas y a continuación la barra de madera y mármol oscuro con posapiés.

Tres aparadores donde las múltiples botellas quedan reflejadas por los espejos. Al frente de la barra, más espejos y maderas, con originales mesas exagonales de tres en tres, que hacen del lugar una colmena. En el techo, y por encima del friso, cuadros grandes de estilo contemporáneo que sustituyeron a los clásicos que en primera instancia estaban colocados. Un techo artesonado con filigrana de yeso y del que penden los 4 ventiladores tradicionales de estos locales, y cuatro lámparas de bronce y bujía de estilo colonial. Al fondo, un enorme reloj encajado en la madera, marca las horas solemnes pero improductivas desde un punto de vista especulativo. Aquí el tiempo no pasa, sino que transcurre de forma intensa, con multitud de sensaciones.

Exterior de A Brasileira en Lisboa.

Actualmente, me comenta Fernando Cardoso, se sirven cafés de toda procedencia, sobre todo de México, Uganda, Jamaica, Timor y Brasil. Hoy se sabe que el secreto del café está en la mezcla. Cuando solicitas algunas anécdotas del local, se comenta el origen tertuliano del lugar al igual que el Café Gijón de Madrid o Els 4 Gats de Barcelona. Poetas como el mismo Sr. Garret, que da nombre a la calle donde reside el Café, dramaturgos, pintores, artistas, periodistas e incluso esa rara especie llamada políticos. Hace bien poco estuvo tomando café el ex presidente socialista Mario Soares, en compañía de amigos y dentro de un clima de relajación y tranquilidad, como corresponde a este tranquilo lugar.

Una cena en el barrio de Alfama escuchando fados auténticos, otra en Alcántara saboreando la elite lisboeta y la excelente comida, y después café en A Brasileira.

Hay otros Cafés lisboetas, como el de Chiado, en los que se sentó Fernando Pessoa. Cerca del Ayuntamiento hay otro café pessoano, el Martinho da Arcada, próximo a la plaza de Comercio, fundado en 1782 y favorito del poeta. Un Café muy típico de los años sesenta, testigo de la decadencia de un imperio colonial, de la revolución de los claveles, del célebre buque Santa María. El Monte Carlo era más de barrio (de gente marginada, jugadores, emigrantes de las colonias, tenía, sin embargo, gente culta y profesores de instituto); el Paulistana, lugar de anarquistas; el Monte Branco, Monumental, Requiem, Vává, etc.

También Oporto tiene lindos lugares, como el Café Majestic, vestigio de los años coloniales prósperos y lujosos, con profusión de espejos y ángeles, lámparas y cómodos sillones. Sobre todo paz y aromas de rico café.

En el número 36 de la calle Garret se encuentra Casa Pereira, un establecimiento de venta más que de consumición, donde se alterna el chocolate con el café. Cafeteras, alambiques de vidrio y demás utensilios para servir café se encuentran en el aparador. Una lista de precios de granos de café me parece curiosa y digna de comentar:

Granos de café	de Sto. Tomé	2.800	escudos	el kg
	Candeal	2.400	"	"
	Timor	1.800	"	"
	Continental	1.600	"	"
	Robusta	1.400	"	"
	Colombia	1.800	"	"
	Imperial	1.400	"	"

Un año después, los precios siguen siendo los mismos. De no preservar estos lugares estaremos perdiendo una parte de la conciencia colectiva, además de privarnos del rico arte de la conversación.

Un reino por un café

Ricardo Reis fue a la cocina, volvió al cabo de un momento con una cafeterita esmaltada, la taza, la cuchara, el azúcar, y lo colocó todo en una mesa baja que separaba las butacas, salió otra vez, volvió con los periódicos, echó café en la taza, azúcar.

—Usted no toma café, claro.

—Si aún me quedara una hora de vida tal vez la cambiara por una taza de café caliente.

—Pues aún daría más que aquel rey Enrique, que daba su reino por un caballo.

(José Saramago, Nobel de Literatura 1998.)

Julio Pomar, Fernando Pessoa, 1983.

CAFÉS ESPAÑOLES

El popular Café Español del Paralelo de Barcelona, donde civiles, clero y militares, gozaban del café y de la tertulia.

Cafés de Barcelona

No siendo Barcelona la ciudad más típica en lo referente a Cafés —en eso le gana Madrid—, estos lugares siempre gozaron de buena salud en la Ciudad Condal, puerto de entrada del preciado grano y ciudad cosmopolita por su mismo puerto. Así no es de extrañar que los cafeteros de Barcelona se asocien en 1850 para defenderse de los problemas de muy diversa índole que les afectan, principalmente los del bolsillo. Me refiero a la subida de impuestos por parte de la Administración que obliga a aumentar cinco céntimos la taza de café, y es que cinco céntimos a finales del siglo pasado eran una barbaridad, máxime si se tiene en cuenta el tiempo de crisis motivada por la pérdida de las últimas colonias de ultramar, como Filipinas y Cuba, que caerán en manos norteamericanas, y la guerra en el norte de África.

El ayuntamiento ve también un negocio en eso de los Cafés y se apunta rápido al aumento de tasas por el empleo de mesas y sillas en plazas y calles. Al latino en general, y mediterráneo en particular, lo de sentarse al fresquito o a la sombra de un buen toldo para ver pasar a la gente y chismorrear, siempre le supuso un espectáculo gratificante y popular. Quienes más negocio pensaban hacer eran, lógicamente, los Cafés de primera, situados en el mero centro de la ciudad, como las Ramblas, el paseo de Gracia, la plaza de Cataluña o la plaza Real, pero Cafés había muchos.

Según estadísticas de 1868, en Barcelona ciudad estaban censados 65 Cafés, 108 billares y 377 mozos, lo que totalizaba una media de más de billar y medio por local y 5 mozos. Referente a tabernas o casas de bebidas, se contabilizaban unas 700, con sólo 165 asientos, lo que hacía pensar en el eslogan: «entren, consuman, paguen y salgan»; era un preámbulo de los modernos *snacks*.

También empezó a ser un problema el tema de los «cafés ambulantes». Eran simples carretones con latas llenas de café y algún fogón para mantenerlo caliente, que se situaban en las esquinas estratégicas de algunas bocacalles de la Ramblas barcelonesas. Además del tema sanitario, lo que más preocupaba a la autoridad era la falta de control municipal en cuanto a impuestos, por lo que llegaron a ser requisados muchos de ellos. Los más hábiles aprenderían a camuflarlos de forma rápida e ingeniosa.

Hoy existen numerosos países, como Colombia o México, donde es frecuente ver sencillos carritos ambulantes ofreciendo bebida caliente, especialmente café. No menos frecuente es ver a esos Cafés-Man con máquinas que parecen sulfatadoras, y que en algunos casos lo son, sirviendo café caliente desde su propio lomo, a través de un manguito con filtro.

Una constante de los Cafés de finales de siglo es la aparición de los músicos y la evolución hacia el Café-teatro o Café-concierto. No era raro ver notas de ofrecimiento en los Cafés, de parejas de bailarines acompañados de un maestro pianista, guitarrista o acordeonista. Otros Cafés más tradicionales y familiares ofrecían jueves y domingos, por la tarde, bandas militares de trompetas y tambores para «obsequiar» a sus sufridos parroquianos y, claro está, vecinos de los alrededores. Eran una clara evocación a los «Últimos de Filipinas». También titiriteros o el conocido «portugués flautista», que emitía sonidos guturales semejantes a instrumentos musicales con cierta gracia, ya que como se demuestra por la prensa, era muy solicitado por los establecimientos del ramo.

Café Torino del Paseo de Gracia de Barceona.

Cafés de categoría superior ofrecían serios y excelentes conciertos de piano a cargo de prestigiosos músicos, como era el caso del Sr. Manent en el Café Español de la plaza Real, que era diferente del que se hizo popular en el Paralelo, el Sr. Juan Bautista Pujol en el Gran Café de la Rambla o el Sr. Nogués en el Café Nuevo de las Ramblas. Otro Café famoso por sus instrumentistas fue el Alsacia, en la ronda de San Antonio 17.

A veces los Cafés tomaban nombres peculiares como el Café de los Amigos, en la calle Escudillers, donde curiosamente se vendía leche fresca de cabra, vino auténtico de Málaga y objetos diversos. El Café de la Amnistía, el de la Amistad y el de la Armonía. El nombre más curioso de todos los Cafés de la Barcelona del siglo pasado era el de Café de los Bienvenidos Americanos que, situado en la plaza de la Constitución, funcionó en los años próximos a 1820.

También en ese mismo año se fundó el Café Marsella, que fue remodelado y hablaba de él *El Periódico de Catalunya* el 20 de mayo de 1991, refiriéndose a las «noches mágicas, donde adquiría una atmósfera entre cultural, popular y rancias varietés».

En esos tiempos de 1863 aparece el «agua embotellada» que, aunque ahora nos pueda parecer normal, en ese momento fue toda una novedad. En primer lugar, porque había muchas y bonitas fuentes de agua potable en la ciudad y, además, gratis, por eso «cobrar» por el agua resultaba un tanto irónico. El éxito de la cuestión fue venderla helada o fresquita. Pronto se convirtió en un próspero negocio, al igual que el hielo.

El gobernador civil mandaba cerrar los Cafés a la una de la madrugada, llegando a clausurar algunos por escándalos, duelos y reyertas que llegaron, incluso, a causar víctimas. Tal es el caso del Café de la calle Conde del Asalto n.º 4, y, como nota anecdótica, un comunicado emitido en el *Diario de Barcelona,* de 1889, donde explicaba que «según el acuerdo de la reunión de cafeteros de primera categoría, no se permitía la entrada a los mencionados establecimientos, a máscaras y personas disfrazadas, después de las siete de la noche».

Ese gran periodista aragonés dedicado a la investigación policial, Enrique Rubio, escribía en sus años mozos de 1954 en el diario *La Solidaridad*: «Ha muerto otro viejo Café en la plaza de Cataluña. El Café Cataluña.» En 1950, el vespertino *El Noticiero Universal* comentaba: «Otro sepelio para el Café Español del Paralelo. Un Café que era alma del barrio. Un minuto de nostalgia, por favor.» Años más tarde le llegaría el turno al Café Términus, inaugurado en 1903, obra del arquitecto modernista Josep Puig i Cadafalch, y derruido en 1969.

No quisiera cerrar este capítulo sin mencionar los actualmente en servicio, como el Café Velódromo, en la calle Muntaner, cerca de la Diagonal, con sus billares concurridos y su selecta clientela estudiantil. El London, en la parte baja de las Ramblas, en la calle Nou de la Rambla, con su cariz musical y el Muy Buenas de la calle del Carmen 63, etc.

Café Zurich

«La terraza del Café Zurich es punto de encuentro ideal para citas y observatorio privilegiado sobre la plaza de Catalunya y la Rambla.»
(Ferran Torrent)

Situado en la «manzana de la discordia», en la misma esquina de la plaza de Cataluña con la calle Pelayo, que a su vez era designada como la calle de la «media *galta*» (cara), por ese espacio sin construir durante tantos años y, por lo tanto, a medio acabar. Ha sido, sin duda alguna, el Café más representativo de la Barcelona de este siglo que acaba, junto con l'Òpera y Els 4 Gats.

Corría el año 1860 cuando la propia reina Isabel II colocaba la primera piedra del edificio Manuel Gibert de la desierta plaza Cataluña. El famoso arquitecto Cerdá aún no se había pronuncia-

Brigada de «limpias» frente al Zurich.

do sobre el ordenamiento del ensanche barcelonés. Dos años más tarde, y en un edificio singular de apenas dos plantas se edificaba la estación de Sarriá. De las nueve arcadas que tenía, cuatro constituían la estación propiamente dicha, cuatro correspondían a la sala de espera, y la última era un quiosco o cantina en la que se servían bebidas de las denominadas *jarabes,* que al mezclarlas con agua fresca o sifón daban lugar a los deliciosos refrescos de grosellas, horchatas de almendra, zarzaparrillas, concentrado de limonada, anisados, etc. Este establecimiento se conocía como La Catalana.

Años después, un trabajador llamado Serra, que había emigrado a Suiza, decide volver a su patria chica y adquiere el negocio al que bautizará ya con el nombre de la ciudad en la que estuvo y admiró: Zurich. Como cantina no tenía nada de especial, y posteriormente lo denominó «Chocolatería», pero ante los rumores, ya en los años veinte, del cambio de la estación de Sarriá para proyectar el itinerario de forma subterránea, decide venderlo.

Un tal Andreu Valldeperas i Jorba —hombre emprendedor, de Olesa de Montserrat— que había venido a Barcelona sin un céntimo, como era habitual entre los intrépidos emigrantes, lo adquiere por 50.000 pts. de entonces, que le son financiadas por la marca de cervezas Moritz, lo que significará que durante una buena temporada el nuevo establecimiento se convertirá en surtidor en exclusiva de esa marca de cerveza. Así son y así eran los negocios.

Era el primero de diciembre del año 1920 cuando el Sr. Valldeperas lo inauguró. La plaza Cataluña tenía una pequeña fuente, palmeras y todavía mucha tierra. Eran tiempos apacibles anteriores a la Dictadura de Primo de Rivera. En 1929, y con motivo de la Exposición Internacional de Barcelona, se inaugura la nueva estación del ferrocarril, ya en su fase subterránea. Lo que antes era la sala de espera se convierte en nuevo salón del Café.

Posteriormente, y en la antesala de la guerra civil, el hijo de don Andreu Valldeperas Jorba, que además de heredar igual nombre y primer apellido —el segundo será Juvé—, se hace cargo del negocio, construye el altillo y le da auge al establecimiento familiar. El Café era conocido por los cinco terrones de azúcar que se daban con el café, el ron o gin que obsequiaban a modo de carajillo, y de vez en cuando una faria. A eso se le llama mimar a los clientes. Café, copa y puro. Los jarabes eran servidos en grandes vasos como también eran largas sus cucharas para remover la densa pulpa azucarada del refresco. Una impresionante cafetera de filtro y vapor suministraba de una vez hasta doce litros de café; una enorme cámara frigorífica, sobre la que después se guardaría la otra cafetera de la Maison Dorée, mesas cuadradas, maderas barnizadas de negro, filigranas de yeso, sus columnas rematadas de sólidos capiteles estriados, sus ventiladores, sus pórticos, todo se conservó intacto y configuraba la bella estampa interna del Zurich.

Llega el año 36 y el Zurich es testigo de los enfrentamientos de la guerra civil.

Con la guerra llega la escasez de azúcar y café. Son tiempos difíciles pero el Zurich se mantiene siempre abierto.

Una anécdota curiosa es que fue en este lugar donde se establecieron las primeras bases de lo que hoy es la Organización Nacional de Ciegos Españoles (ONCE). Un comisario de beneficencia llamado Roc Boronat estaba sentado tranquilamente en la terraza del Café, cuando un ciego que pedía fue detenido por un guardia municipal muy orgulloso de su uniforme y celoso de su deber. Pensó en lo injusto de ese colectivo y le habló al entonces presidente de la Generalitat, Francesc Macià, quien tomó conciencia y obsequió con bastones blancos a un gran número de ciegos. Pronto saldrían los primeros cupones para ciegos de Catalunya con un valor de 10 céntimos. Poco después saldrían «los iguales para hoy».

En los salones del Zurich se reunía gente tranquila, a leer el periódico, a realizar transacciones comerciales, arreglos inmobiliarios, incluso se llegó a proporcionar a los feligreses que lo requerían, papel con membrete, secante, palillero y tinta, tanto para contratos como para escribir postales de recuerdos de turistas despistados. Era una oficina, incluyendo el almacén, ya que por el nexo con la estación muchos viajeros solicitaban que les guardasen algunos paquetes durante unas horas. Una auténtica consigna de estación ferroviaria. También aparecieron peñas de ajedrez, culturales y deportivas.

Un café costaba por los años 30 unos 35 céntimos, y eso incluía el ron y la faria. De los años cincuenta al setenta se produce el máximo apogeo del Café. Su terraza, con capacidad para trescientas cincuenta personas, se transforma en la platea de un espectáculo humano, único y colorido. Personas del mundo del espectáculo, como lo fuera el Sr. Masó, director artístico del Liceo, la excepcional bailarina La Chunga, el cantautor valenciano Raimon, que tenía su vivienda en la plaza del Buensuceso, Guillermina Motta o Marina Rosell, se tomaban allí su café o refresco.

También célebres futbolistas como Basora, Biosca, el portero Velasco o *Charly* Reixach, que lo tenía como punto de encuentro. Al igual, José Legrá, campeón del mundo de boxeo. Músicos como Pons y Xavier Cugat, acompañado por algunas de sus bellas y exóticas mujeres, periodistas y redactores de la cercana *La Vanguardía,* como Casán. Escultores como Cañas, pintores como Molina y Tarrasso, escenógrafos y coreógrafos del cercano Institut del Teatre como Fabià Puigcerver, la polaca-catalana Bárbara Kasprowicz, el mexicano Gilberto Ruiz Lang o Amelia Boluda, bailarina y directora del Ballet Contemporani de Barcelona, todos eran asiduos, entre muchos, de este viejo Café, pero, sobre todo, el anónimo soldado de uniforme, la *marieta*, el profesor de idiomas de la cercana Universidad Central impartiendo clases con algunos alumnos en la terraza del café, el hippy, el melenudo nostálgico, el «psuquero» (miembro del antiguo PSUC),* las *marujas*, unas monjas, un turista japonés, un jubilado, una prostituta, incluso algún ratero de bolsos de los muchos que pululan por la zona, todo el variopinto parque zoológico de las Ramblas.

A don Andrés Valldeperas Juvé le sucederá su hijo, también Andrés Valldeperas Ros, todo un amante de las tertulias y de las colecciones que tienen que ver con el Café y, sobre todo, con la

* Partido Socialista Unificado de Catalunya.

plaza de Catalunya. Ha esponsorizado exposiciones de fotos, cuadros y objetos relacionados con dicha plaza. Una «hormiguita» como él mismo se describe. Como buen *culé,* siempre rodeado de directivos y futbolistas del Barça; como aficionado a las bicicletas, de la Peña Ciclista de Sants; como amante de la raqueta, de la peña de Tenis Barcino, y todos reunidos en el Café, al igual que el gremio de pasteleros, gente de los ferrocarriles y un interminable etcétera.

De la terraza del Zurich se planeó el famoso asalto al Banco Central, situado justo enfrente del establecimiento, y que permitió a los asaltantes preparar el robo aquel día de mayo de 1981. También el escritor y periodista González Ledesma recibiría el Premio Planeta por la novela *Crónica sentimental en rojo,* donde relata un capítulo referido al Zurich y de la que se llegaría a hacer una película.

Al final de los años noventa, un rumor siempre latente empieza a preocupar a la familia Valldeperas Ros y a sus hijos Andreu y Xavier Valldeperas Jordà: la amenaza de demolición del edificio. Un local, o mejor dicho unos dueños que se han resistido a que el Zurich se convirtiese en una despersonalizada hamburguesería, o en un *frankfurt* o una simple casa de *fast-food,* que han dicho muchos «no» a las propuestas de entidades franco belgas como la Robert Vandaele-Pierre Premier o la Sociedad de Estudios Urbanos, se encuentran desprotegidos. Muchos de los parroquianos, con Raimon a la cabeza, se ofrecieron a plantarse delante contra el derribo. «No nos moverán» o «Si el suelo pertenece al Ayuntamiento y el edificio a los ferrocarriles, el Café pertenece a toda Barcelona. Es patrimonio del pueblo».

Pese a todo, el Zurich fue demolido y, con él, el lugar de citas más conocido de Barcelona, junto con la fuente de Canaletas o las puertas del *Corty*. Una joya del pasado. Un foro del futuro y, sobre todo, un lugar entrañable. Como dijo aquel periodista refiriéndose a un Café: «Señores, un minuto de nostalgia, por favor.»

Recientemente y en el mismo lugar se inauguró el nuevo Zurich, siguiendo la misma decoración y filosofía que había.

Café de las Siete Puertas

«Este establecimiento se distingue por el esmero, limpieza y pulcritud en el servicio y la exquisita escrupulosidad en la elaboración de las bebidas y de todo lo demás que en él se consume.»
(Anuncio del Diario de Barcelona)

Tanto Luis Carandell, como Candi Carreres y el magistral Néstor Luján le han dedicado numerosas líneas al que fuera un Café lujoso, con terciopelos granates, quinqués de bronce, sillas vienesas y lámparas de mucha lentejuela y pedrería, con enormes espejos ovalados de hasta ocho metros de diámetro mayor.

Abrió sus puertas entre 1836 y 1840 y estaba ubicado en los pórticos de la casa Xifré caracterizado por sus siete puertas, donde antes había otro Café llamado Neptuno. En realidad las puertas bien contadas no eran siete sino ocho, pero siete fue siempre un numero mágico y cabalístico. Su propietario era un tal José Cuyás, del que se decía era excelente cafetero, pero con unas gotas de arrogancia, autoridad y pedantería. No en vano había servido café a numerosas personalidades como la reina Cristina, la reina Isabel II y a toda la aristocracia de Madrid y Barcelona. Se tiene noticias de que el 13 de septiembre de 1871 comió en él el rey de España Amadeo I de Saboya y duque de Aosta.

Fue visitante de este Café el danés Christian Andersen, famoso autor de cuentos infantiles, quien, según Néstor Luján, se lamentó al no poder admirar las pinturas, obra de Mirabent, del techo que representaban a Baco, Ceres y la alegoría epicúrea de las cuatro estaciones, debido al tizne del humo acumulado de los fumadores durante décadas.

Con el Café del Sr. Cuyás aparecen los primeros anuncios en prensa donde la publicidad no escatima en recursos. «En las Siete Puertas se sirven toda clase de refrescos, de licores del país, elaborados y refinados en la misma casa, todos los extranjeros, de los cuales se surte en las fábricas de la más alta nombradía. Salamas de Italia, jamón, salchichón de Lyon, de Burdeos, longanizas de Vic.»

Se encontraba cerca de la Bolsa, de la Marina, de la Aduana, Agencias Mercantiles, Oficinas del Barco y de los Ferroviarios, pero, sobre todo, próximo a la Plaza de Toros de la Barceloneta, denominada El Torín y de la Estación de Francia. Había en el Café un gran surtido de periódicos, no sólo de Barcelona sino de Madrid e incluso extranjeros. Era un centro de información ciudadana.

Tras el Sr. Cuyás, un restaurador llamado Morera se lo queda, pero la fama le vuelve con Francisco Perellada, «Paco», hombre bonachón, que ya venía del gremio, y que se tomaba el trabajo con un alto grado de psicología. Desde entonces hasta nuestros días, las Siete Puertas, que en realidad son ocho, se ha mantenido con dignidad y calidad.

Cafè de l'Òpera

«Cambia todo rápidamente. La faz del viejo café barcelonés, considerado hasta entonces como grata prolongación del domicilio propio, deja paso al triunfante bar moderno. Desaparecen los cafés más auténticos. Aquellos que resisten milagrosamente los avatares de los nuevos tiempos no tienen otro remedio que renovar las instalaciones. Aparecen en escena el alto mostrador y los incómodos taburetes.»
(Francisco Villar)

Cafè de l'Òpera frente al Gran Teatro del Liceu. Pintura de Vayreda C.

De los pocos con solera, que sin ser centenario —referido al negocio, el local sí lo es— se mantiene vivo. Situado en el privilegiado lugar de la rambla de Capuchinos 74, fue inaugurado en 1929 por Antonio Dória i Campa, justo antes de la Exposición Universal de Barcelona, que atrajo a miles de visitantes. Al lado, en el n.º 72 otro Café recientemente instalado, de los de moderno diseño, Caffè di Roma, no le hace sombra.

Su puerta de entrada de madera ricamente trabajada y a ambos lados dos motivos de vidrio ojivales tipo *novecento,* que representa unos cisnes a la derecha y un «pavoroso pavo» a la izquierda. Una placa metálica en el suelo, de 1993, inmortaliza el local con el reconocimiento municipal.

Antes de 1929, ya había sido un conocido restaurante y chocolatería denominado La Mallorquina. Tenía por aquel entonces dos entradas, que siguen manteniéndose. Por la de la Rambla había un salón en el que se servía café y aperitivos. La entrada por la trasera calle Arolas era la dedicada a restaurante y meriendas. Me encantan estos locales que disponen de una «segunda» puerta, tanto de entrada, pero especialmente de «salida», por si te viene a buscar gente ingrata.

Como estaba, y sigue estando afortunadamente, frente al Gran Teatro del Liceo, era frecuentado por los aficionados a la ópera y al teatro, pero, sobre todo, cuando acababa la última representación, por eso era característico hacer allí el último bocado o trago, llamado el *resopón*. Había un célebre tenor llamado Rosich, que frecuentaba el Café después de la función. Una cierta señora le llamaba cada día después de la misma, para preguntarle cómo le había ido la representación. La dama misteriosa, tal y como la llamaba el tenor, se quedó con ese nombre a pesar de los muchos intentos del artista por llegar a conocerla. No lo consiguió nunca, pese a su empeño.

Situado en un excelente lugar, era también frecuentado por el turismo que a finales de la década de los sesenta fue invadiendo nuestro país. No obstante, durante la guerra civil y como tantos otros Cafés, o fueron requisados, desmantelados o tuvieron que cambiar de nombre, como le ocurriera a La Maison Dorée. Por suerte el de este Café no era nada comprometido, si bien frecuentado por gente sospechosa como podían ser artistas y en general toda la farándula.

Cafè de l'Òpera en las Ramblas barcelonesas, último vestigio de café popular.

Con el advenimiento de la generación *beat,* la canción protesta de Bob Dylan y el movimiento *hippie,* este Café se convierte en centro de «jóvenes melenudos soñadores, escritores contestatarios, bohemios descafeinados, pasotas convencidos y artistas de géneros insospechados», según comenta Francisco Villar. El Cafè de l'Òpera ha aguantado de todo y con estoicismo. Por él han pasado generaciones diferentes y siempre mantuvo bien el tipo, «sobreviviendo a las modas más dispares». El cómico y humorista Joan Capri y Maria Aurèlia Capmany, con su purillo encendido, pasaban horas en este cálido Café.

En la actualidad, nos cuenta la Sra. Rosa Dória, hija de don Antonio, el fundador del Café, asisten a l'Òpera varias tertulias que se alojan en el salón del primer piso, muy acogedor. Son de arquitectos, de jóvenes políticos, como los de Unió, quienes de forma periódica convidan a personas relevantes para que les hable de sus respectivos temas. En este sentido, tanto el Sr. Jordi Pujol como el ex alcalde Pascual Maragall han sido contertulianos del Café.

La decoración de este viejo local se ha mantenido, con algunos cambios necesarios. Los sillones de mimbre y los veladores de mármol han sido sustituidos, aunque aún quedan taburetes de mimbre en la barra. Siguen las sillas art-decó de las denominadas estilo Thonet pintaditas, las dos columnas de hierro en la parte de atrás, y entre ellas el sempiterno ventilador de tres aspas, como mandan los cánones de estos viejos establecimientos. Lo más interesante son los 12 espejos grabados con figuras femeninas de óperas famosas. Son de finales del siglo pasado y realizados «al ácido» por Rosendo Carrau en los Talleres de Amigó. Junto a los espejos unas telas también con motivos de jarrones neoclásicos y niños con frutas, de las que han tomado el anagrama. Son de un tal Moragas, y cuando fueron a restaurarlas descubrieron que debajo de ellas había otras de mayor valor aún y más antiguas, ochocentistas, de las que se han podido recuperar dos que están en los salones de arriba.

Doña Rosa y sus hijos están contentos porque este año los han homenajeado con el título de «Ramblistas de Honor» por haber mantenido las tradiciones barcelonesas a pesar de los tiempos que corren.

Me he tomado, más que cafés, de los que disponen de una gran variedad de tipos y mezclas, ricos chocolates calientes con melindros en este lugar. He observado atentamente el variopinto espectáculo de gentes diferentes, pero con un cierto aire de bohemia como constante. En estos momentos, por ejemplo, acaba de entrar una señorita rubia y extranjera, con moño, cuello de cisne, elegante porte y un caminar *en dehors* que la delata como bailarina clásica. Instantes después una joven pareja hindú, o mejor dicho india, puesto que ignoro si profesan tal religión. Unos latinos se toman un chocolate y una pareja de estudiantes discute sobre sus clases. A últimas horas de la noche alcanza su apogeo. Si uno pasea por las Ramblas y desea tomarse un café recomiendo tres lugares: el que nos ocupa, el London y el Muy Buenas.

Maison Dorée

En la plaza de Cataluña de Barcelona, existió un característico Café muy concurrido por su enorme terraza, situada en la misma acera, y que reunía hasta cinco hileras de unas doce mesas cada una, lo que concentraba a nada más y nada menos que unas trescientas personas, que además del café o té gozaban de la imagen de cuantos por allí pasaban. Corría el año 1924.

En sus múltiples artículos del «Àlbum» de Lluís Permanyer escritos para *La Vanguardia*, hay uno referido a este local que nos cuenta cómo los hermanos Pompidor, de origen francés, pero afincados en Terrassa, montaron un primer Café denominado La Maison Dorée —con artículo—, en 1897, en los bajos del número 22 de la plaza Cataluña. Era un Café de sociedad, elegante y distinguido pero cerraría sus puertas en 1918 por cuestiones económicas, pero no porque les fuera mal, sino todo lo contrario. El edificio iba a ser adquirido para derribo y una posterior edificación dedicada a una entidad bancaria. La gente echaba de menos aquel mítico nombre y, por supuesto, el local, por lo que los Hnos. Pompidor vendieron la «marca» Maison Dorée a dos camareros llamados Carné y Amills quienes, en 1924, lo reabrirían pero esta vez en el número 7 de la misma plaza.

Era un Café de tertulia en el que era frecuente ver a Xavier Regás, el ginecólogo Nubiola, a Font i Ferran, a Sempronio, Lladó

Primera Maison Dorée Restaurant.

Figueras, el caricaturista Guasp, el mecenas Félix Capellas, etc. También paraba por allí la bella cantante Conchita Supervia. Cuenta Sempronio que estando sentados algunos contertulianos hablando de política, posiblemente, les llegó la noticia del alzamiento contra la República del general Franco en África. Al principio no le dieron importancia alguna y siguieron departiendo, pero días después el Café pasó a llamarse Café España; estábamos ya en 1936 y permaneció allí hasta 1947, año en el que también sucumbiría el Café Diluvio de la plaza Real.

Según un curioso artículo de la época, referente a la «mala vida» de Barcelona, ésta se caracterizaba por tres momentos diferenciados. La preguerra, en que pululaban los Cafés de camareras, el «siete y medio» y «la Maña». La época de la misma guerra, en que lo común eran los cabarets, el baccarat y «la María», y en la más larga, la época de la posguerra, con los *dancings*, las ruletas y «la Yvonne». Según Jaume Pasarell, es también el momento de la introducción de la cocaína en España, a través del puerto de Barcelona.

Els 4 Gats

«Pensad, actuad, matad, asesinad, robad, casaos, haced lo que os apetezca, pero no me toquéis las telarañas.» (Pere Romeu)

No es propiamente un Café-Café, pero sin duda un lugar encantador. Fue cervecería, restaurante, cabaret, lugar de exposiciones, reunión de artistas e intelectuales y hasta teatrillo donde se ofrecían espectáculos de sombras chinas y de títeres, como lo demuestra el cartel que anuncia a la familia Juliá y Juli Pi.

Por él han pasado numerosos notables, si bien les cabe el honor a los señores Ramón Casas, Santiago Rusiñol y Miguel Utrillo —quienes habían llegado de la brillante París, junto con Pere Romeu— de haber sido los fundadores y alma de dicho Café.

Situado en los bajos de un bello edificio modernista de Josep Puig i Cadafalch, en la estrecha callejuela de Montsió 3 bis, junto a la plaza de Cataluña, fue inaugurado el 12 de junio de 1897 y duró abierto apenas seis años. Sin embargo, en el corto espacio de tiem-

Els 4 Gats, tertulia literaria. Dibujo de Picasso.

po sucedieron en él muchísimas cosas que vale la pena comentar. Durante algunos períodos, como los años veinte y antes y después de la guerra, se reabrió, aunque su auténtica reapertura se hace en 1974. Fue remodelado en octubre de 1991, habiéndose conservado tal y como era. Está lleno de mosaicos y presidido por un gran óleo sobre tela, obra de Casas, pintado en el año de la inauguración, y en el que subidos en un tándem pedalean dos señores barbudos, uno de los cuales, es Pere Romeu, dueño del local en su primera época y autor de la revista homónima. El otro es el propio Casas.

Era don Pere Romeu un señor muy especial, pintor y «cabaretier». Amigo personal y «discípulo» de Rodolfo Salis, otro pintor parisino y dueño del conocido Café cultural Chat Noir. Dice el escritor Josep Pla, que gustaba de sentarse en su silla de nogal acanalada de largo respaldo que presidía la mesa de los artistas. Tenía mucho cuidado en algunos detalles de la decoración, lo que hacía del lugar un bonito museo, pero trataba mejor a las telarañas que a algunos de sus clientes. Tenía dicho al personal de limpieza: «Pensad, actuad, matad, asesinad, robad, casaos, haced lo que os apetezca, pero no me toquéis las telarañas.»

En la mesa principal, la reservada a los artistas, todo estaba permitido, excepto la vulgaridad. Eran personajes bohemios, vestidos de formas estrafalarias, con corbatas chalineras, sombreros anchos, cabellos largos, aspectos un tanto descuidados y pipas encendidas de tabaco picadura, lo que correspondía a la definición de «artistas e intelectuales». Un personaje joven, con apenas 17 años, ya había expuesto allí: era Picasso, junto con Canals, Mir, Sunyer, Raventós y Ricard Opisso. El pintor Opisso ha dejado numerosos bocetos de los momentos más intensos de este Café emblemático de Barcelona, muy frecuentado desde hace algunos años por japoneses enamorados de Gaudí y de su modernismo. Era frecuente oír a Isaac Albéniz tocar en el viejo piano algunas notas de su suite *Iberia*, o a Luis Millet, fundador del Orfeó Catalá en el vecino edificio del Palau de la Música. También Enrique Granados. Los escritores Eduardo Marquina, Eugenio Ors, cuya D' se pondría después, el insigne poeta Joan Maragall, Adrià Gual o Josep Maria Roviralta, paraban allí. Todos colaboraban para que el local Els 4 Gats saliera de su constante penuria económica.

Pablo Picasso, ilustración para la minuta de Els 4 Gats, 1890.

Otros visitantes insignes cuando venían a Barcelona no faltaban a las citas de este local. Me refiero a los hermanos Quintero o el nicaragüense Rubén Darío. Se publicaron dos revistas, la denominada *Els 4 Gats* cuyo primer número saldría en 1899 y la denominada *Pèl & Ploma,* que sustituiría a la primera. *Pèl,* que significa «pelo», pelo de pincel, de artista. *Ploma*, «pluma», de escribir. Pintores y escritores eran el objetivo de la publicación, que podía encontrarse en varios lugares de Europa y América, como París, Bruselas, Londres o México. A. Gide o E. Zola habían escrito en ella bellos artículos.

A finales de 1903 se cerró el local, que aunque se siguió abriendo en épocas concretas, no se materializó en nada. ¿Qué hubiera sido de Els 4 Gats si hubiera permanecido más tiempo abierto?

Hoy es un bello y acogedor lugar cuyo restaurante cuidado y selecto ocupa una sala rectangular con regias columnas, piano donde se amenizan las cenas y un altillo por todo el alrededor de la sala que lo hace singular. Los camareros, de negro riguroso, son de lo más atentos y de los que te toman cariño bien pronto, como el caso de mi amigo Rodolfo. La entrada con los mismos bellos mosaicos de antaño y el mural de Casas dominando la situación. Hay profusión de cuadros de famosos y fotos que penden de sus paredes, ya que media Barcelona y personajes ilustres de todo el mundo han pasado por aquí. Se sigue editando una revista donde jóvenes poetas escriben ricos comentarios, junto al menú, ofrecido en una singular carta-periódico. Es una carta de cultura y arte que incluye el menú gastronómico pero, sobre todo, con enorme poso cultural.

Es uno de mis lugares favoritos, furtivos, acogedores y entrañables. De vez en cuando me escapo y el lugar me inspira.

La nueva moda del «café franquicia»

«La clientela encuentra en el Café un reconocimiento, un revelador de su existencia. Hay quien se limita a pasar por allí y quien hace del Café su domicilio, utilizándolo como su segunda casa.»
(Marc Sagaert)

La moda de los Coffee Shops se ha impuesto en todo el Estado. En la Barcelona postolímpica quizá hayan irrumpido con mayor profusión. Uno pasea por la calle y —la mayoría sin puertas, como una continuación de la propia acera— se encuentra con esos establecimientos muy bien diseñados y con una decoración de viejo almacén con sacos, fotos antiguas, plantaciones, ladrillo visto y cientos de objetos recuperados como molinillos, utensilios diversos, etc. que hacen de estos lugares una curiosa estancia-museo.

Es cierto que la gente va con otro ritmo, los cafés ya no son relajados y se toman de pie, pero estos lugares acogedores le invitan a uno, preferentemente por la tarde y después de comer, a sentarse y charlar. Café tertulia que recuperamos; gracias a este nuevo tipo de negocio volvemos a ellos.

Comenta Inma Santos, periodista, que Il Caffe di Francesco fue el primero que abrió sus puertas en octubre de 1992. Detrás del nombre italiano, el empresario Artemi Nolla realizó esta primera muestra o prototipo que ha inspirado las demás cadenas. Las típicas pizarras verdes anunciando los diferentes tipos de café, las sugerencias del día, la cálida decoración, etc. contribuyen al éxito. No le auguraron buenos resultados por su idea, pero ya tiene cuatro locales. Él es partidario de no ceder la marca o «franquicia» a otros y seguir con su propio negocio.

Café Jamaica.

Otra empresa parecida, pero que se ha colocado en primera posición, es Jamaica Coffee Shop, regida por Antonio Veloso, antiguo torrefactor de Cafés Garriga, de los más antiguos de Cataluña, y José Mangas, quienes fundaron en 1993 esta cadena, apostando con el nombre de uno de los cafés más caros del mundo. Con más de sesenta franquicias y un centenar de establecimientos, es el resultado de una hábil gestión combinada con un buen café. La gran variedad de los cafés ofrecidos hace que el público consumidor conozca más tipos, realice sus catas y establezca sus diferencias, al igual que otros productos como el vino.

Antonio Veloso es un joven de 39 años, avispado empresario como el que más, y que no podía ser otra cosa que gallego. Trabajó desde pequeño en el negocio del café, en el ya citado y conocido grupo Garriga, ubicado en un modernista local de la calle del Carmen n.º 3 dedicado a la torrefacción de grano para charcuterías y restaurantes de la ciudad.

Pronto comprendió que el negocio no lo hacían ni los cosecheros, ni los recogedores, ni los exportadores o importadores, ni siquiera los torrefactores. Los grandes beneficiarios eran los baristas, como bien los describe él. Había demasiados intermediarios en el mundo del café como para salir airoso en el negocio. Además, era su café un producto caro, excelente, pero salía por el doble de lo que costaban otros cafés de batalla. Tuvo mucho que aprender y pelear para que firmas tan prestigiosas de la restauración, como Reno, Can Travi, 7 Puertas y otros prefirieran el café tipo Jamaica.

Café di Roma.

Aurora Altisent escribió cosas muy bellas en su libro *Barcelona íntima*, describiendo con sumo detalle la historia del tostadero Garriga, que desprendía tal aroma que era notado a cientos de metros en las mismas Ramblas. Primero sería chocolatería, con espejos, vidrieras policromadas y decoración modernista con profusión de motivos florales. Era una tienda de productos coloniales, típico colmado de ultramarinos, donde además de chocolate, cacao y café, vendían caramelos y licores, entre los que se encontraba el célebre Anís del Mono, el primero envasado en botella de vidrio de forma apastillada y que el Sr. Bosch adaptó después de su visita a París, donde la vio conteniendo perfumes de la firma Patou. Tampoco faltaban el Marie Brizard, Martinis y los cavas de Sant Sadurní d'Anoia. Era la familia Garriga i Roca, de gran tradición catalanista, que reunía en su local a grandes contertulios entre los que eran asiduos el poeta Ventura Gassol o la escritora y dibujante Lola Anglada.

Fue una pena que Antonio Veloso no pudiera quedárselo, como era su intención, pero los comienzos son duros, en especial en la liquidez. Por eso en 1993 se quedó en régimen de alquiler el local de la calle Consejo de Ciento, al que le seguirían otros en la calle Córcega, en la Illa o en la plaza de Catalunya de Girona. Hasta la fecha el local que más satisfacción le ha producido es el de la ciudad castellana de Toledo, donde se ha producido un verdadero *boom* en el consumo del café.

En las tiendas de Jamaica Coffee Shop hay marketing, diseño, ideas. La decoración de viejos molinillos es auténtica y los objetos son conseguidos en los anticuarios. El azúcar es moreno, las tazas de porcelana, las mesas redondas de mármol y los camareros con chaleco, pajarita y delantales. El café, un excelente *blue mountain* de altura, de Jamaica.

Otro empresario, esta vez italiano, de Sicilia, Giuseppe Panasiti, opinando que la idea de la decoración no es genuina de los mediterráneos y que, como es cierto, la costa californiana ya había recuperado ese estilo del *far-west*, abrió en el año 94 Il Caffè di Roma, que pronto tendrá treinta y seis locales.

A estos tres «nuevos pioneros» —ya que las primeras ideas surgieron en los años treinta con Germán Erausquin con el Bracafé, o lo que es lo mismo el Café de Brasil, que tiene actualmente siete locales y la cadena Caracas, que data de los años cincuenta con cuarenta locales— se les han sumado otros muchos como Il Caffè di Italia, Il Caffè di Pepe, Il Caffè de Tutti, etc. El Café ha ganado en espacios, variedad y aromas.

Un nuevo Torino, con exquisito gusto, en el señorial paseo de Gracia, fue abierto en febrero de 1995 como réplica del que existió en el mismo paseo esquina con la Gran Vía a principios de siglo, construido por los arquitectos Gaudí, Falqué y Josep Puig i Cadafalch, bajo las instrucciones del decorador Ricard de Capmany. Era realmente un bello lugar donde se sirvió vermut por primera vez. En la calle Escudillers n.º 8 existe otro que fue fundado en 1902. Es uno de los pocos Cafés modernistas que hace las veces de bar, taberna, baile y sala de espectáculos. Se le conoce como Grill-Room Café.

Cafés de Madrid

«El café no calma la sed como el agua, no te permite olvidar como la ginebra, no te nutre como la leche. Pero el secreto de un buen café está, sin duda, contenido en el canto de la cafetera, de la que algunas notas se desgranan al vuelo, a tu alcance, al borde del pozo, de la punta de los labios.» (Marc Sagaert)

Según un estudio del lúcido y ameno maestro Néstor Luján, Madrid fue uno de los primeros lugares de España en los que se implantaron establecimientos para la venta y degustación de café. Además, la idea de las cafeterías sería mucho mejor vista en el contexto sociomoral que las tabernas, y así se explica una revista de la época denominada *El Duende Especulativo*: En Madrid, ciudad bravía, que entre antiguas y modernas, tiene trescientas tabernas y una sola librería. En verdad había por allá el año 1600 más de seiscientas tabernas y algunas librerías, pero la proporción encajaba con la realidad.

Comentaba la citada publicación: «Después de habernos quejado mucho tiempo de que con la casa de los Austria se había introducido en España el vicio de despachar más vino en un año que antes se acostumbraba a beber en diez, la moderación de las costumbres se debe a los cafés establecidos en diversos cuarteles de Madrid, que darán presto realce al carácter y a las prendas de nuestra nación, enemiga mortal de las tabernas, en donde nadie sin manchar su honor puede entrar a beber vino.»

En estos lugares donde se tomaba café, proporcionaban periódicos y lecturas de gacetas y noticias, que eran comentadas por los tertulianos, que no eran otros que «gentes más cultas que amaban el teatro y que hablaban más allá de lo humano y de lo divino».

Don Gabriel Quijano, cura él, escribió en 1873 sobre los vicios de la tertulia, los excesos de la conversación, a la que llamaba «cortejo descarado». Otro clérigo, don Antonio Osorio repetía que «era difícil practicar sin pecado el nuevo uso y costumbres de las tertulias».

Los hermanos Gippini, de obvio origen italiano, abren una fonda, en 1767, en la madrileña calle de Atocha, con sobremesa de café. Era la célebre fonda de San Sebastián, en donde Nicolás Fernández de Moratín, su hijo Leandro —quien escribiera una sátira de la vida social madrileña titulada *La Comedia Nueva o El Café*—, Ignacio López de Ayala, Tomás Iriarte, Cadalso y un largo etcétera se reunían en fuertes debates en torno a los toros, comedias, poesía y mujeres. No se podía hablar ni de religión ni de política. Ésa era la norma de la tertulia. Años más tarde, en 1786, los Gippini abrieron otro en Barcelona.

Otro italiano, el veronés José Barbarán, fundó poco después, en la carrera de San Jerónimo, La Fontana de Oro, en la que esta vez sería el novelista Benito Pérez Galdós quien dirigiera la correspondiente tertulia años más tarde.

Comentaba el poeta en 1870 cuando se refería al club patriótico que representaba el Café: «El humo de los quinqués, el humo de los cafés y el humo de los cigarros, casi hacían que salvaran la patria a oscuras, los Apóstoles de la Libertad.»

Tenía, además de billares, mesas en las que se jugaba a las cartas. Muy cerca de la Fontana, en la misma Carrera de San Jerónimo 8 se abría en 1840 el Restaurante-Café L'Hardy, réplica del que existía en París, aún vigente.

En 1880 Madrid contaba con 400.000 habitantes y 92 Cafés. Lugar delicioso era el Café Nuevo Levante, en la calle Arenal, de camino hacia la plaza de Oriente, en el viejo Madrid de los Austrias. Este Café tenía por contertulio nada más y nada menos que a don Ramón del Valle-Inclán. «¡Este don Ramón!», se atrevían a murmurar sus amigos, moviendo la cabeza cuando el insigne escritor decía alguna impertinencia. Su forma de hacer y de decir era a veces pedante: «Callad, cretinos, que está tocando Wagner.» De todos es sabida la especial devoción que sentía por el compositor alemán, y resulta curioso que ese hombre «excéntrico, manco, de barbas como un chivo y de aspecto patriarcal y bohemio, que usaba un acento americanizado, adquirido en sus muchas correrías por América», gustara de tal músico, murmuró en cierta ocasión el poeta nicaragüense Rubén Darío.

La historia de la amputación del brazo de don Ramón no fue en este Café sino en el de La Montaña, como ya comenté en la introducción, situado entre la calle de Alcalá y la Carrera de San Jerónimo. «No fue en Lepanto, querido Ramón» le decía su amigo Jacinto Benavente cuando Valle-Inclán sacaba a relucir el hecho casi heroico de su accidente.

El Café de la Montaña tuvo que cambiar los veladores de tanto como los habían ensuciado los dibujantes. Era éste un Café frecuentado por Luis Buñuel, quien después de sus clases seguía estudiando en él, cuando no estaba de tertulia, según comenta él mismo, en *Mi último suspiro*.

Junto a Benavente, formaban la tertulia el pintor Ricardo Baroja, el crítico Manuel Bueno y otros. Fue este último quien en un duelo entre el portugués Leal da Cámara y un tal López del Castillo, saldría en defensa del primero por su alta edad, a lo que don Ramón le dijo algo parecido a majadero. Manuel Bueno, hombre susceptible, se sintió ofendido, alzó su bastón y le golpeó en el brazo con tal mala fortuna que se le clavó el gemelo de los puños de la camisa y le ocasionó una gangrena, por lo que hubo que amputar el brazo. Ramón Gómez de la Serna escribiría más de una veintena de versiones diferentes de cómo don Ramón explicaba el percance.

Otros cafés típicos de Madrid eran el Ángel, en la plaza del mismo nombre, hoy Central, el San Luis en la calle Montera, el Aurora, en la calle Carretas, el también vigente Café de Chinitas de la calle Torija 7. La Cruz de Malta y el Lorenzini en la calle del Caballero de Gracia. El Café del Carmen en la calle del mismo nombre, el Café Comercial, Correo, Príncipe, Parnasillo, el Iberia, al que iba fiel parroquiano don Benito Pérez Galdós, el Lion d'Or, el Café Regina, Alhambra, Oriente, Las Columnas, Canosa, Fornos, La Granja del Henar, Café Castilla, el Kutz, Café del Vapor, casa cuartel de Federico Chueca, el Suizo, donde pasó tiempo el romántico Gustavo Adolfo Bécquer, Café Madrid, donde en 1900 participaban además de Pío Baroja y Azorín, Ramiro de Maeztu, culto diplomático, etc. Hoy, como ayer, es una pura delicia pasear por el viejo Madrid y tomarse ese buen café que allí exhiben con orgullo, y es que Madrid huele a café y, en ocasiones, a café con churros. Deliciosos churros y porras.

Café Pombo

> *«El Café madrileño es, como todos los Cafés en España, el lugar donde se forma y transforma el pensamiento humano: en donde el escritor, a lo largo de toda su vida, saborea numerosas palabras; en donde el poeta guarda la avara bolsa de las ilusiones; en donde tanto el político como el empresario, el periodista o el conspirador escriben o repiten, fomentan o comentan a modo de eco, la canción de la ciudad.» (Marc Sagaert)*

De los Cafés mencionados, el Café Pombo —en el que tomara café José I Bonaparte, hermano de Napoleón, y que hasta bien entrado el siglo, protagonizaría una de las tertulias más conocidas, guiada por el escritor Ramón Gómez de la Serna e inmortalizada por José Gutiérrez Solana en 1920 en su conocido lienzo—, juntamente con el Café Gijón, son los que sobresalen de una forma espectacular, sobre todo éste último, en el madrileñísimo paseo de Recoletos.

Según palabras del propio don Ramón Gómez de la Serna, era la Sagrada Cripta del Café Pombo como el camarote salvador de un buque hacia las aguas gélidas de los polos, que huía de una tierra agitada llena de asesinatos, coacciones, robos y suplantaciones. A

José Gutiérrez Solana, La tertulia del Café Pombo, 1920.

veces era un submarino, evocando a su insigne inventor, Isaac Peral, tan incomprendido como los contertulianos del Pombo. En otras ocasiones se transformaba en el compartimento de primera de un confortable tren, sin contratiempos, humos, ruidos, pero con música, cante y poesía. Era un viaje inmóvil a todas partes. Un recuerdo a la amistad, a lo que verdaderamente vale la pena en este mundo, desde nuestro propio nicho. Pombo era, sobre todo, un lugar de sana reflexión.

El POMBO de don Ramón tenía dos OO como dos ojos, como dos focos que irradian luz. Su sonido era como el de un tambor, «Pombo, Pombo». La P era como un mazo varonil que golpeaba esa O en forma de campana. Pombo era un tono formidable. En el Café se hablaba, se reía, se fumaba en pipa, se tomaba algún licor, se bebía café solo, café con leche en esos típicos vasos grandes de cristal estriado, se contaban chistes y chismes, se bebía agua o sifón, pero sobre todo se sentía la lámpara viva del tiempo que transcurre.

Café Gijón

«Como decía Unamuno, y mal que les pese a aquellos que tienen por costumbre lamentar el talento desperdiciado en España en las tertulias de los casinos y los cafés, la verdadera universidad popular española ha sido el café y la plaza pública.» (Marc Sagaert)

Fue creado por un tal Gumersindo Gómez, López para otros, en 1888 —eso sí, asturiano él, como el nombre del insigne local—, que dicen hizo su fortuna en las Américas, concretamente en Cuba. Tuvo don Gumersindo la suerte de que las celebridades del Madrid de entonces tuvieran a bien sentarse en este precioso local. Políticos como Canalejas, premios Nobel como don Santiago Ramón y Cajal, pintores como Anselmo M. Nieto y Romero de Torres, don Ramón María del Valle-Inclán que era un poco asiduo de todos, el mismo Ramón Gómez de la Serna, que aunque fiel a su Pombo, se dejaba caer entre semana, ya que los sábados eran sagrados para él y su cripta.

En 1914 y en vísperas de la primera gran guerra, el Café cambia de propietario, pasa a Benigno López, pero mantiene el nombre. Adquiere un cierto aire conspirador y sabor a citas clandestinas en donde se afirma, según un interesante trabajo de Marc Sagaert, que la misma espía Mata-Hari rondaba por allí y se tomaba su *peppermint frappé* mientras se fumaba cigarrillos egipcios. Por los años veinte acuden al Gijón los hermanos Machado, y en vísperas de la guerra civil era frecuente ver al poeta granadino Federico García Lorca con su amigo el torero Ignacio Sánchez Mejías, sentado en la terraza, tomando café. También al gaditano Rafael Alberti y a las jóvenes promesas de la literatura, González Ruano, y de la dramaturgia, Jardiel Poncela.

Exterior del Café Gijón, pintura de Vayreda C.

Con la guerra civil de España, el Café Gijón es requisado y sirve de restaurante de oficiales. Después, y tras la contienda, resurge bajo la «presidencia» de Gerardo Diego. Al igual que el Floridita cubano, el Gijón es visitado por célebres artistas cinematográficos como Ava Gardner, tan enamorada de lo latino —porque latina era ella—, Orson Welles, Jean Paul Sartre, Dalí, Buñuel, y toda esa jauría de políticos. Fernando Fernán Gómez, que de tierras de grandes Cafés viene, propone la creación de un premio literario de novela corta, denominado «Café Gijón», bien merecido.

En la actualidad es propiedad de Gregorio Escamilla. Sigue la afluencia de personajes ilustres y políticos. Un lugar recomendado para desayunar, leer el periódico, pensar, tener una cita, bien con una muchacha o señora, bien con un amigo o amiga. Un lugar para el aperitivo o para la sobremesa, para encontrarse, o reencontrarse consigo mismo, un lugar de media tarde, de charla, de atardecer. Recomiendo la lectura de Paco Umbral *La noche que llegué al café Gijón* y *Café Gijón, 100 años de historia*. De nuevo todo el viejo Madrid sigue oliendo a café. Se respiran aromas de buen café.

Cafés de La Coruña

En cada ciudad existen Cafés preciosos, muchos de ellos incluso ignorados por los propios ciudadanos. La mayoría de estos viejos Cafés van desapareciendo dejando el lugar a lujosos bancos o prestigiosas fundaciones como lo es la ONCE en el caso de A Coruña. Tan sólo he visto un caso, como el moderno y diseñado Café Vecchio en la calle Real 76, donde se ha logrado arrancar el espacio a un banco, concretamente al Zaragozano.

El Café Vecchio fue inaugurado el 19 de marzo de 1997 y dispone de enormes y pesados bancos de madera, mesas redondas con mármol, un magnífico mural recuperado de otro lugar, obra de Maside, y que posiblemente valga más que todo el negocio, y un amplio surtido de cafés de todo el mundo. Al ser tan reciente ni tiene historia, ni tertulias, pero sí es en verdad una buena idea, aunque sea de «franquicia», dotar a esas ciudades frías y lluviosas del calor de cálidos cafés de antaño. Muy cerca y en la calle Real, hay otros populares como el Kirs y el Oxford que siguen vigentes.

Me hablan de los Cafés Mezquita, Alhambra, Alcázar, y que recuerdan a toda una época de militares que estuvieron en el norte de África. También me cuentan del legendario Palace, El Galicia, El Español, o el Café Moderno de la Puerta del Sol de Vigo, pero muchos de ellos ya son historia, por eso me centro en los todavía supervivientes de La Barra, El Molino y El Marfil

Café La Barra

Situado al final de las calles Real y Riego de Agua, junto al también ancestral Teatro Rosalía de Castro, por lo que es de suponer era frecuentado por artistas y aficionados al teatro y a la ópera. Una mañana de un frío y destartalado agosto me acerco a tomarme mi café con cruasán. Le pregunto al joven camarero por la edad del Café y, sin precisarme fecha exacta, me comenta que «por lo menos cien años», ya que hay fotos de la calle en la que aún no pasaban coches sino viejas carretas.

El lugar es agradecido y amplio, con cuatro ventanales semicirculares por ambas fachadas, lo que le permite una buena visibilidad hacia la calle peatonal, máxime cuando no tienen visillos y viceversa; los tranquilos transeúntes pueden observar desde fuera quiénes se están tomando qué y a qué juegan, porque en estos Cafés se lee y juega a las cartas, dominó y ajedrez cuando no se discute de Lendoiro, el «Depor», el «Compos» o el «Celta».

Café La Barra, en el centro de La Coruña.

Son las nueve de la mañana y la clientela es joven, mayoritariamente femenina y muy fumadora. Me llaman la atención las perchas sombrereras, planas y vacías, de cuando se usaban sombreros. Un total de 32 mesas rectangulares pequeñas y con mármol. Junto a la puerta una antigua máquina registradora contrasta con las de juego y tabaco. No hay color en la comparación. En la pared, un viejo y gran timón incorpora la rosa de los vientos sin marcar ningún rumbo. El piso, de baldosín blanco cuadrado con rombos rojos y descoloridos por la tanta lejía y desgaste. La barra de mármol rosado es larga y rematada por el espejo donde se reflejan las típicas botellas de licores. Tiene perspectiva, encanto y futuro.

Café Marfil

En la zona de la Galera, cerca de la plaza del Arco y en el n.º 15 de la calle que aún reza como General Mola, se encuentra este viejo Café. Manuel, que es el actual propietario, tiene unos 35 años y lo heredó de su padre quien lo adquiriera por los años cincuenta. Antes se llamaba Café Boxing, por ser sus parroquianos afines al boxeo, y donde, seguramente, pegados a la radio escuchaban los combates, ya que la televisión no llegó a Galicia hasta los años sesenta.

Son las siete de la tarde de un día lluvioso en La Coruña, como la mayoría de los del mes de agosto esta temporada. Esto es lo que hace que este Café de tradicionales clientes esté de bote en bote. Los domingos por la tarde-noche se organizan maratones de ajedrez. Resulta curioso ver a niños, jóvenes y mayores jugando al mismo tiempo a este pasatiempo inteligente. También se juega a las cartas, pero, sin duda, lo que ahora le caracteriza son las representaciones teatrales. Es un Café teatro. La obra que está en cartel se titula *Cúbito supino,* y se representa los viernes por la noche. Se retiran algunas mesas, algún foco de 500 watios y a disfrutar en el primer Café teatro de la ciudad. ¡Sí señor!

En esta tarde hay algarabía, tertulias, discusiones banales en un auténtico Cafetín de pueblo, de pueblo grande, pero de pueblo. Todos se conocen, saludan, señalan o critican. El dinero manda. Es importante. Ése tiene, aquél no tiene, es un «pelao». Heredó o le tocó la lotería, a la que son aficionados. Se juega mucho por estas latitudes ya que es la forma de hacerse rico, bueno, también con el contrabando.

Pintoresco Café Sada cerca de La Coruña.

En otro tiempo se reunían en este Café grupos musicales y artistas, para que los «agentes culturales» de los pueblos viniesen y los contratasen para las fiestas. Era, sin duda, una oficina de contratación de artistas. Quizá sea el más viejo de los tres Cafés, el más auténtico, que junto con La Barra y el Molino constituyen el exponente de los viejos locales que aún quedan en pie en La Coruña actual.

Cafés de Zaragoza

«Dice un dicho aragonés que Zaragoza tiene dos joyas, una el Pilar y la otra, el Plata»

Todo el mundo de la capital maña de una época tomó café en Ambos Mundos o en el Royalty de la plaza de España, a la izquierda de la entrada de esa calle estrecha y característica llamada *Tubo*, recientemente desaparecida; en el Levante del paseo Pamplona, muy cerca de la Facultad de Medicina, frecuentado por Ramón y Cajal y hoy en la próxima calle de Almagro; en Las Vegas, próximo a desaparecer, o en el Casino del Coso, en el también desaparecido y reaparecido Windsor o en el Gambrinus.

El Plata

Fue el Café más emblemático situado en la calle 4 de Agosto n.º 23 en el casco viejo, al final del «Tubo». Permaneció vivo y coleando hasta hace bien poco, mayo de 1992, uno de los Cafés Teatro con más solera de todo el mundo y parte del extranjero, como decían algunos.

El Plata vio la luz por primera vez en 1920. Por aquel entonces actuaba en el cercano Teatro Principal la Compañía de Margarita Xirgu. Un octubre de 1991 empezaron los síntomas de enfermedad, cuando primero lo cerraron por «reformas». Luego unas «largas vacaciones al personal» y otras obras que no llegaron a hacerse. Por último la crónica de una muerte anunciada: el cierre del local.

Dicen que volverá a abrirse, pero no creo que vuelva a ser lo que era: un local con pedigrí, popular como el que más, de gente sencilla, espontánea y de pueblo, es decir auténtica, que venía a tomarse un café por la tarde de 3 a 5 y se encontraba con un espectáculo inolvidable de vedetes y lentejuelas, de canción y picardía. Tan auténtico como el público que asistía. Soldados de reemplazo de uniforme, el «Ferro», aquel empleado en ferrocarriles que no faltó una sola vez, a no ser por enfermedad, la veterana Serafina, la cigarrera, que llevaba 42 años de servicio en el establecimiento, Juanillo de Olmedo, un «chico para todo» entre la barra y los camerinos; entre lo técnico y lo artístico. Así hasta cada uno de los parroquianos —la mayoría con boinas *vetored*— de ese otro templo llamado El Plata.

Cuando empezó era un cabaré, que además de restaurante funcionaba como sala de juego. Eran épocas de cambios políticos, de huelgas y descontentos, de revueltas. Un local así asumía su función terapéutica. En 1930, ya finalizada la dictadura de Primo de Rivera, los dueños decidieron cambiar el cabaré y restaurante por un baile-taxi que se denominaba La Conga, por aquello de Jalisco, en donde los señores adquirían unos boletos al precio de 25 céntimos que les permitían bailar con alguna de las 40 señoritas, muchas de ellas de pueblos cercanos, dispuestas para ello.

Tras la guerra, en 1942, el local se tuvo que cerrar por «inmoral». A eso contribuyó el nacional catolicismo del sistema, es decir, la Academia General Militar y el Pilar. Los propietarios lograron reabrirlo a los pocos meses como Café-cantante, por el que han desfilado vedetes históricas para buena gente campechana que acudía al local donde, además de ver gachís, tomarse un café en franca camaradería. Encarnita Montoya, que levantaba la «moral» del público; Luchi Pardo, la de los «picos pardos»; Isabelita Conde, la aristocrática; Maite, la de los besos de celofán; las hermanas Siboney, casi de ébano; Pilar la cabezuda; la exuberante Tania Doris, triunfadora del Paralelo barcelonés; y quizá la más querida por todos los asiduos: María de Lis.

Dentro de poco tampoco existirá «el Tubo» calle en la que cerrará el Café El Plata.

En 1988 se realizó un merecido homenaje institucional a este Café, coincidiendo, según datos con el cincuentenario, pero El Plata era como una mujer coqueta. Guardaba su edad. El alcalde, junto con los concejales del ayuntamiento, trajeron desde lugares lejanos a la mayor parte de las vedetes que habían pasado por el local, para tributarles un penúltimo aplauso. Las alojaron en el Gran Hotel y de ahí Marisol y Marga Castillo, Ana Grey, Concha Lucero, la misma y querida María de Lis, Crista y Maruja Lucena, entre otras, pasaron al trotado camerino de siempre, esta vez con todas las bombillas, flores y agua que Juanillo, seguramente, habría puesto en ellos. Era como volver a casa de nuevo después de unas vacaciones. Hubo alegrías y lágrimas. Posiblemente también tendrían *kleenex* y bombones.

Contaba Ana Grey que El Plata era su verdadera casa, ya que en él se casaron sus padres, músico de la orquestina él, y cantante ella. El banquete se dio en el mismo Café y acudieron todos los artistas. ¿Qué otra cosa podía decir del Plata?

El Plata pertenece a una sociedad denominada Aramersa, compuesta por seis accionistas cuyos nombres permanecen en el anonimato. Jesús Zarzuela, como regente de la sala; Maite Iranzo y Ester como elaboradoras de un plan de reformas del local; Joaquina Laguna, como responsable de la gestión y otras muchas personas, y asociaciones de vecinos del *Tubo*, de cafeterías y bares, intentan defenderlo y reflotarlo sin saber a ciencia cierta cuánto hay de verdad. Lo cierto es que aquellos cuatro camareros, de chalecos azules, con Salvador Yuste al frente, Carmina la limpiadora, el viejo y pequeño piano, la batería, el saxo, pasarán todos a mejor vida. Los viejos carteles de «Próximamente... Marga Castillo», «Fotos no», «Miércoles cerrado, descanso semanal», «Consumición obligatoria» o «Cerrado para siempre» yacerán como epitafios junto a otros grandes protagonistas de la vida zaragozana como el ya citado Ambos Mundos, Alaska, Variedades, Rumbo, Corinto, Venus, Los Espumosos, el destartalado Café Oro y un largo etcétera. Ójala la sabiduría popular recobre este Plata y que tan sólo se modifique la mínima infraestructura legal y técnica que le permita subsistir otro medio siglo, por lo menos. Que así sea.

Del viejo Windsor al The New Windsor

«El Windsor era simplemente un lugar de amistad y conversación, bañado con unas gotas de juventud.»

Un viernes de octubre de 1995 reabría las puertas un nuevo local en Zaragoza, pero que en realidad no lo era. Se trataba del The New Windsor, una nueva cervecería con once caños de cerveza. Esta bebida ha sustituido al café y lo hace con una oferta de nada menos que 180 marcas diferentes, del tipo belga, alemán, danés o inglés. Me dan ganas de pedir una «negra modelo» sólo para incordiar y oír: «lo siento, ésa no la tenemos». De todas formas el Windsor de siempre, el viejo Windsor, arranca de mucho más atrás.

Situado en el Coso Bajo, en el n.º 127, la barra estaba separada del salón por unos característicos arcos y mamparas de las que colgaban unos percheros, más bien sombrereros, en los que yacía alguna boina y algún bastón o cayata, o incluso un moquero o cachirulo con cuatro nudos, al más puro estilo campestre. Madera, un ventilador al frente y otros dos, de, como no, tres puras aspas, tal y como mandan los cánones cafeteriles. Ceniceros con *pavas* semiapagadas, que eran las colillas de los viejos cigarros cuarterón liados con papel amarillo o «caldo gallina», también denominados *ideales*.

Primero se llamó Ideal —los citados cigarrillos de la posguerra. Luego se le denominó Romea. En los tiempos de la contienda, los soldados hacían un alto en él, más que para tomar un café, un chato de tinto garraspero de Cariñena o Pozuelo de Aragón, «pá calentase». Tenían razón quienes pensaban que el Windsor ya no sería lo mismo cuando viniesen esos «gachupines» con corbatas de seda a lo Dior, pelos engominados con Vidal Sasoon y pañuelos de Cacharel, apestando a Paco Rabanne y disimulando las ojeras con los modelos del nefasto general norteamericano Ray-Ban. La más pura decadencia.

Después de la guerra, pulula por el Windsor mucha gente del «sí hemos pasao», se efectúan como en la mayoría de locales rifas de

Fachada del New Windsor en el Coso Bajo de Zaragoza.

botellas de anís rebajado y hasta se baila. Ya en 1953, vuelve la tónica del café de siempre, sin ideología dominante, pluralista, estudiantes y profesores izquierdosos o «guerrilleros de Cristo Rey». Arturo, el propietario, Elvira, su mujer y Jesús son los artífices de este rincón de concordia, recuerdos y nostalgias.

Durante tiempo fue centro de reunión de los pescadores de caña, donde primero hablaban de sus presas y luego como lugar de citas los domingos por la mañana, antes de ir al Soto de la Alfocea o a Juslibol a capturar algún lucio en los remansos del río Ibérico, Ebro para los árabes.

Las tapas salvaron el Café. La juventud que acudió al Windsor le devolvió la vida, aunque no faltó gente que armara su bronca o incluso quienes se pincharon en el lavabo, pero Arturo se encargó de mantener limpio el local. Era como una biblioteca. Se iba a charlar. Para armar camorra estaban las discotecas. El 31 de julio del 89 se «cerró por vacaciones», pero reabrió 6 años después.

Hoy he pasado por el The New Windsor. He pedido una *negra modelo* y no la tenían. Tampoco Tecate, y me he sonreído. Sin embargo, me ofrecen una Coronita y Antonia me la sirve. Un cartel del castillo de Windsor a la entrada nos habla de su *look* británico. Dentro, un bonito restaurante separado de la barra, con bellas cristaleras de espejos adosadas a la pared, que le dan una doble dimensión. Los plafones en forma de rosetones modernistas en el techo, un aire latino. Quiero imaginar cómo era, pero no puedo. Está demasiado moderno para mi gusto, aunque con estilo.

Gambrinus

«Todo lo que depende del público es como un teatro.
Hay que cuidar al máximo la escenografía y el ambiente.»
(Arnaldo Fernández Roselló)

Situado en la plaza de España, junto a la Diputación se cerró por problemas económicos, y aunque también con ciertos problemas políticos, más que legales, se reabrió recientemente. De esa forma se recuperaba otro emblemático local del pasado aragonés,

El Gambrinus además de bonito tiene guapas camareras.

y todo por la sana cabezonería de un señor, amante de los cafés, que le molestaba ver aquel bello lugar cerrado y destartalado. Durante un tiempo después de que se cerrara el antiguo Gambrinus, fue una oficina bancaria de Ibercaja, aunque curiosamente sin éxito, dada la cercanía de la casa matriz. Luego una sala de exposiciones de la misma entidad y con el mismo resultado. Por último retornó a lo que era: un auténtico Café. Se repetía la inverosímil historia del Café que pudo con el Banco.

Me atiende un joven amable y preparado, técnico de Turismo de la Escuela Salduba, que es el director. Se llama Javier Calvo y me cuenta que, hace poco, pudo encontrar a un hermano del antiguo botones de la cafetería, que le llamaban Nino. Era, además de servicial colaborador, novillero y hasta torero, con el nombre de Nino Gambrinus. Una tarde, en la plaza de toros de Calatayud, nadie se atrevía a lidiar unos bravos descomunales. Él fue el único que salió y el toro lo mató. Había en los años cincuenta mucha gente que, trabajando en bares o tiendas, como el caso de Miguelito el de Ultramarinos la Paloma, de la calle Capitán Esponera, buscaba otras actividades extras para sacar a sus familias del bache. Unos lo conseguían y la mayoría se quedaban por el camino, cuando no encontraban la muerte. La Cafetería patrocina y otorga un premio Gambrinus al mejor novillero de las fiestas.

El nombre de Gambrinus es el de un rey alemán, de quien dicen fundó la ciudad de Hamburgo, y representa al dios de la cerveza en Noruega y en otras ciudades nórdicas. Hay cervezas con ese nombre en Checoslovaquia y Bélgica y Cafeterías en muchos más lugares.

En la nueva decoración intervienen elementos del pasado como, por ejemplo, cascos de la primera guerra mundial, teléfonos antiguos, planchas, mochilas, aparatos de radio o un mural de cerámica de la vecina localidad de Muel. La barra está delimitada por las cuatro columnas de capiteles corintios de hierro colado y originales del antiguo local, al igual que un trozo de pared de ladrillo vista. No está ni remozado ni recuperado. El arquitecto se ha recreado en él, logrando un ambiente de lo más genuino años sesenta. Tiene varios niveles, uno de ellos restaurante, abajo bodeguilla y la cafetería propiamente dicha. Lo que más vende de todo es café, porque es bueno el que se ofrece, barato, y el lugar acogedor. Hay días de 700 cafés. El vermut ha ido desapareciendo por lo caro que representa acompañarlo con tapas. Con un café te puedes pasar toda una tarde leyendo el periódico y oyendo buena música. Nadie te va a molestar o a obligar con una segunda consumición.

Viernes y sábados, me comenta Javier, hay que darle marcha al local y se sirve trago largo con música del momento. Se convierte en *pub*. Por su proximidad con el Teatro Principal vienen muchos artistas. Hace días lo hizo Amparo Larrañaga, a la que de veras me hubiera gustado saludar y hablar. Me fascina esa mujer. También políticos como Santiago Carrillo, Julio Anguita o Álvarez Cascos y muchos futbolistas del Real Zaragoza.

El otro día se presentó un señor viejito que tomaba café en el Gambrinus hace más de cuarenta años, y dirigiéndose al camarero le dijo: «Oye, muchacho, ¿me podrías ir a la farmacia a por unas pastillas?» tal y como antes se solía hacer. El camarero se quedó sorprendido, pero de forma muy correcta le contestó que no podía dejar la barra sola. Y es que antes uno le pedía al botones o a un camarero cualquiera: «¡Eh, muchacho!, ten. Tráeme el periódico y quédate con la vuelta.»

Lo más curioso de este local está en los servicios o lavabos. Para evitar que hagan grafitis en las bonitas paredes, han colocado encima de los mingitorios unos paneles de metacrilato que protegen la primera hoja del periódico, que cambian a diario. De esta forma en vez de pintarrajear, mientras orinan, ¡leen!

Otros Cafés, aunque modernos, mantienen vivo ese espíritu tertuliano. Tal es el caso del Café Tertulia, de la calle San Gil o El Odeón de la plaza de San Bruno, detrás de la Seo, donde, además, se exhiben cuadros y donde Samantha prepara deliciosos daiquiris.

Otros Cafés españoles

Es evidente que en este libro ni están todos los Cafés que son, ni son Cafés todos los que están, por ello pido disculpas a los parroquianos que se sientan molestos por mi omisión, pero es que no he podido ni visitar ni tomarme café en todos los que yo quisiera. Además, muchos de ellos ya no existen, sucumbieron a las remodelaciones o los tiraron abajo para edificar otro tipo de negocios. Por ello, en este cajón de sastre, o mejor de cocina, pretendo enumerar aquellas ciudades con Cafés de pedigrí, que no aparecen en el resto de esta publicación.

Cádiz parece ser la primera ciudad por su puerto y conexiones con Latinoamérica, en disponer de tales lugares, como ya he comentado en algunas partes del libro. También lo fue del chocolate, por las importaciones del cacao, pero el Café gaditano siempre tuvo fama por sus tertulias como por las actividades artísticas o lúdicas. Recuerdo que en el Cádiz de las Cortes se institucionalizó la lotería nacional. Son célebres los sainetes de González del Castillo, uno de ellos titulado «El Café de Cádiz». Y lo describe como un lugar alegre, con patio incluido, mesas y sillas y también billares. El Café de las Cadenas o el de Don Quijote de la Mancha, que era el mismo pero con otra denominación, el Apolo, el de los Patriotas, el León de Oro y el del Ángel. En todos ellos era costumbre pedir prensa extranjera, aunque no se supiera entender bien el texto, pero siempre había el erudito que lo traducía.

En Sevilla, el Café Burrero, el Café Silverio, el de La Marina, el de San Agustín, la mayor parte Cafés-cantantes, al igual que el de Chinitas en Málaga, frecuentado por Federico García Lorca. En la marítima Ceuta, llave del estrecho, he tomado yo muchísimos cafés tanto en La Campana, como en el Vicentino, ambos en la calle Real, en el Café Nieto de la plaza Azcárate, o esos deliciosos churros de porra en el mercado central. También en el barrio moro de Haduz. Son los Cafés de mi niñez.

Parece que el denominador común de la existencia de los Cafés era sobre todo el puerto. Cartagena, Águilas, Valencia, La Coruña, Bilbao con su Café Iruña, frecuentado por Miguel de Unamuno y Pío Baroja, el Café Comercio, en el paseo del Arenal y un largo etcétera. El Café Viejo de San Sebastián o los Cafés estudiantiles de Santiago de Compostela o Salamanca. En esta última, el Novelty.

Referente a Donostia, decían que a principios de siglo tenía dos parroquias, dos conventos, un cuartel, tres plazas, un teatro y un gran Café: el Viejo. Lo llamaban el «Paraíso Terrenal».

Por último, citaré los de mi pueblo, Sitges y Sant Pere de Ribes. En Sitges, ciudad costera y muy cultural, frecuento el Roig y el Hatuey, dos delicias de lugares, aunque también exista «comidilla» en el Eguzki e Izarra, de Mateo Ferrero. En la rural Sant Pere, el Paradís y el Reina Maria, donde con Luis, Miguel Ángel, Víctor y Alfonso, me fumo mis puretes y vemos los partidos de televisión. No hay nada como verlos en el bar del pueblo, en pleno sabor y rodeados de buena gente.

EL CAFÉ ENTRA EN AMÉRICA

«El café ha de ser negro como el diablo, caliente como el infierno, puro como un ángel y dulce como el amor.» (Talleyrand)

Aunque los franceses probaran el café a través del embajador turco, no poseían la planta, que fue donada por los holandeses que ya la habían traído de Java y plantado con cierto éxito en el Jardín Botánico de Amsterdam. En un gesto de buena voluntad, el alcalde de la ciudad holandesa se la llevó hasta la ciudad de Marly, donde el mismo rey Luis XIV saldría a recibirla. Era una manera de granjearse el favor de Francia, primera potencia en ese tiempo, por parte de los holandeses.

Las travesías eran duras y pesadas. De América transportaban cafetos.

Francia optó por enviar la planta a la isla de la Martinica ya que en el Jardín Botánico de París no crecía lo suficiente. La misión fue encomendada al marino y oficial francés Gabriel De Clieu, quien tras numerosas aventuras llevó la planta a buen fin. Para ello debió privarse de su propia ración de agua dulce para regar la mata del cafeto durante el largo viaje, ante la indignación de sus compañeros que veían cómo se malgastaba el agua dulce en un simple arbusto.

Corría el año 1727 cuando De Clieu llegó a la isla y plantó la mata, que pronto se aclimató, creció y dio semillas a muchas partes de Centroamérica y América del Sur. Tres años después de la muerte de De Clieu, en 1777, el arbusto del café había engendrado 19 millones de cafetos, sólo en la isla de la Martinica.

No obstante, en 1668, fueron los holandeses los primeros en llevar café ya tostado a su entonces colonia en América, conocida como Nueva Amsterdam, y más tarde como Nueva York. En 1670 se tiene noticias del café en Boston de manos de una mujer, Dorothy Jones, quien obtuvo la licencia para expender tan preciado grano. La primera cafetería de los Estados Unidos se abre en Boston en 1689 y una década después en Nueva York.

El año 1730 fue el principio del fin del consumo del café en el Reino Unido en favor de una infusión traída de Oriente, que despertaría tantas pasiones y polémicas como las del mismo café; pero el té era mejor negocio para los ingleses, ya que se generaba en sus propias colonias. Pronto desaparecieron las cafeterías en todo el Reino Unido en favor de los salones de té.

Otra fecha mítica, el 16 de diciembre de 1773, hizo que el café se tomara su merecida revancha sobre el té. Ocurría en Boston y transformó por completo el sistema de la Boston Tea Party, compañía monopolizadora del té, ya que colonos estadounidenses, disfrazados de indios, saquearon y tiraron por la borda de los buques británicos cuantos sacos de té encontraron. Una de las razones eran los altos impuestos y, en consecuencia, los caros precios que se pagaban por el té. Hubo, lógicamente, respuesta represiva de los ingleses y organización de brigadas patriotas por parte de los colonos. De nuevo mayor y sangrienta represión inglesa, y, al final, estalló la guerra contra la Corona de su Graciosa Majestad. La batalla de Saratoga y el tratado de Versalles llevaron hacia la independencia a los Estados Unidos. A partir de esa fecha, y como dice la mexicana Cheli Cid,* el té sería una bebida antipatriota y el *five o'clock tea* o el té de las cinco, de los británicos, fue sustituido por el café «donde, como y cuando quieras».

* CID DE GONZÁLEZ, Cheli: *El Arte del buen café*, México, Samara, 1994.

Es famosa la compañía estadounidense Merchants Coffeehouse de Nueva York, fundada hacia 1737, ya que es responsable de una parte de la fragua de la independencia de los Estados Unidos.

Aquellos cafetos traídos a la Martinica por el capitán De Clieu, y el que portaron los holandeses a Surinam y las Antillas hacia 1718, comienzan a propagarse. El de Haití y Santo Domingo, traído por franceses; el de Brasil en 1727, traído por los portugueses. Colombia en 1732, Cuba en 1748, Puerto Rico en 1755, Costa Rica en 1779, Venezuela en 1784, México en 1790 y El Salvador en 1840, fueron los países en los que España introdujo el cafeto.

La fecha de 1790 coincide con la del documento de una Real Orden del Gobierno de España, donde se eximía de impuestos a todos aquellos artilugios e ingenios de azúcar y molinillos de café que se trajeran a Nueva España, procedentes de la metrópoli. Las primeras matas de café se plantaron en Acayucan y en Acualulco.

El francés De Clieu tuvo que privarse de su ración de agua para regar la mata que llevó a Martinica.

Cuando el célebre Humboldt visitó México en 1803 constató que a pesar de que el chocolate era la bebida típica de México, el consumo de café crecía poco a poco y empezaba a exportarse hacia España.

Antonio Gómez, oriundo de Córdoba, lleva café cubano a México entre los años 1825 y 1830. Posteriormente se empiezan a sembrar cafetos en las zonas de Veracruz y Jalapa, Tabasco, Oaxaca y Chiapas.

Otra zona donde se plantó café en México fue en el Estado de Michoacán, donde un general llamado Michelena plantó en la Hacienda de Parota café de Moka, al regresar de visitar los Santos Lugares. Miguel Treviño lo plantó en Uruapán, hace bien poco, en 1860, dando lugar a uno de los mejores cafés mexicanos. Luego, luego, como dicen repitiendo los mexicanos, hablaremos del célebre Café Manrique, el primero que se abrió en el casco viejo de la ciudad de México, en la hoy llamada calle de Chile, allá por 1789. Allí fue donde se serviría por primera vez café al «estilo francés» con leche y azúcar.

CAFÉS CON PEDIGRÍ EN AMÉRICA

CAFÉS DE MÉXICO

«Refugio de cesantes, vagos, empleados, jugadores, caballeros de industria, asilo de políticos, periodistas, militares, literatos, cómicos, niños de casa bien, hacendados y agitadores.» (Flor Romero)

Las calles empedradas del casco histórico de la ciudad, no lejos del Zócalo, acogen muchos monumentos y locales de verdadero pedigrí. Algunos restaurantes, otras veces chocolaterías, confiterías o cantinas, pero casi todos Cafés con auténtico sabor a café, pueden sorprender al más pintado. Donde la vida se toma sorbo a sorbo con agradables aromas y nostálgicos recuerdos. Con esa típica frase mexicana de resignación y esperanza, que uno dice cuando no tiene nada que decir o todo por decir: «Así es.»

Café de la Ópera

«Las casas lindísimas, grandes y espaciosas, de patio, corredores y corrales; curiosas, ricas y bien labradas portadas, ventanas rasgadas con rejas de hierro y azotea o terrado enladrillado o encalado...»
(Fray Hernando de Ojeda)

El Café de la Ópera, hoy concurrido restaurante, está situado en el n.º 10 de la céntrica calle 5 de Mayo. Su amable encargado,

Marco Antonio, nos inicia gustoso en el recorrido de este célebre lugar en el que Pancho Villa «de puro gusto, disparó un plomazo en el techo de la cantina». Eran los tiempos de la revolución y no se andaban con chiquitas. El revólver siempre estaba a punto, incluso sin motivo aparente. El agujero en el techo, debidamente señalado, es buena muestra de ello y así quedó para la posteridad.

La entrada al Café está obstaculizada por un grueso biombo de madera que impide la vista de quienes están dentro y que hay que sortear por el lado. En el interior, una maravilla de sala con profusión de artesonados de yeso dorados y palidecidos por el paso del tiempo. Grandes revestimientos de buenas maderas de Chiapas, todo rematado con una amplia barra-mostrador, con el estribo para posar los pies, detalle de los Cafés de siempre.

El origen de este Café es discutido. Una primera versión, nos explica Marco Antonio, es que en un principio fue Chocolatería regentada por unos jóvenes franceses de costumbres mexicanas, si tenemos en cuenta que el chocolate es la aportación de México, y en consecuencia del nuevo mundo, al viejo. *Chocolate,* que viene de la lengua náhuatl, significa «agua amarga». Luego de Chocolatería pasó a confitería y cantina, lugar donde se toma el pulque, tequila y el mezcal; estaba reservado a los «puros hombres». Una segunda teoría indica que el primer local que albergó el Café de la Ópera estuvo más abajo, en el sitio donde se alojaba también «La Nacional», importante casa aseguradora de los años 1870.

Personajes históricos como el presidente Porfirio Díaz y su esposa Carmen Rubio, eran asiduos a este Café. Toreros de la fama de Gaona, actores como el mítico Tarzán, Johnny Weissmuller, el ya citado Pancho Villa, Emiliano Zapata y todas sus huestes, solían tomarse allí más de un «tequilazo».

Por su proximidad al majestuoso edificio del palacio de Bellas Artes, insignes cantantes, tenores, barítonos, figurantes y músicos solían pasarse, bien antes, bien después de la representación, por el Café.

Corría un caluroso 14 de septiembre de 1923 día del grito de la independencia mexicana cuando se disputaba a miles de kilómetros de allí el campeonato del mundo de boxeo entre el norteamericano Jack Dempsey y el argentino Luis Ángel Firpo. El Café de la Ópera era uno de los pocos que poseía radio, y, estaba abarrotado de gente que seguía las incidencias del combate. Tres años más tarde, la misma audiencia sería testigo de otro singular combate en el que Gene Tunney le arrebataría el título y el cinturón de los pesados a Jack Dempsey. Hoy todos los Cafés de México disponen de TV pero el Café de la Ópera sigue utilizando la nostálgica radio, que en ese país denominan *el radio*.

Más recientemente el pintoresco local ha sido utilizado de marco de películas como *Los de abajo* y fondo preferido y empleado por el fotógrafo Remington. También los presidentes Miguel Alemán y Adolfo López Mateos han sido parroquianos de la Ópera. Eran tiempos en los que un presidente solía y podía pasear solo y tranquilo por la calle, sin apenas escolta.

En 1978 la ley mexicana permitió por primera vez, en la joven historia de ese país, la entrada de mujeres a las cantinas, hasta entonces vetada y sólo vulnerada por algunas valientes guerrilleras o mujeres cabreadas en busca de sus ebrios maridos. Hoy, cuatro de marzo de 1997, sentado en uno de esos preciosos «gabinetes» o apartados, gozo de gran parte de la sala, profusamente decorada y presidida por esa columna de espejos, lámparas tipo arañas solemnes y parejas de furtivos amantes, apasionados políticos o agresivos representantes, y es que, como dice mi amigo Paco Ignacio Taibo I, padre —nada que ver con el también escritor de su hijo—: «desde que el café ha sustituido al chocolate, los discursos de los diputados son mucho más aburridos».

Desde un expreso *capuccino* al típico café de olla, pasando por el largo americano, son servidos con especial esmero por auténticos profesionales de los que uno echa en falta, en esta parte del charco.

Sea también de justicia mencionar —aunque más que Cafés, cantinas— El Tenampa, donde no hay que perderse el célebre ponche de granada, La Guadalupana, en Coyoacán, con su especial carne tártara desde 1932, o El Mirador, con sus puntas de filete de venado, todos ellos con auténtico pedigrí. «El café vendrá después, pero el introito es la liturgia.»

Café de Tacuba

«Nos interesa más arar en profundo que poseer en extensión.»
(Eslogan que reza en el local)

Ubicado en la calle del mismo nombre, n.º 28 y al lado de una tienda de «perfumes y esencias» el olor a café no desaparece. Una puerta y dos ventanas a cada lado con toldos esconden una casa colonial del siglo XVII. Un enorme escudo con la silueta de un caballero con sombrero es el anagrama. Fundado en 1912, según dicen los actuales propietarios, se ha convertido en lugar de gran tradición gastronómica formada por el enorme surtido de platillos mexicanos que rememoran el México colonial en el que está situado el Café de Tacuba.

Me atiende José Núñez, aunque el local está actualmente regentado por Gabriela y Rafael Ballesteros Mollinedo, que constituyen la tercera generación de propietarios de la misma familia. Marco de múltiples sucesos, se ha hecho merecedor, como ellos mismos dicen, de un renglón en la historia de México. Sus manteles están llenos de migas de grandes eventos como bodas, comuniones y convites. En el celuloide se guardan trozos de películas, como aquella célebre *Los hijos de Sánchez,* donde el mítico Anthony Quinn personalizó al Sr. Sánchez Hernández, mesero del Café por espacio de 50 años, obra dirigida por Óscar Lewis.

También manchas de betún, de chocolate y de atole, bebidas estas dos últimas típicas mexicanas. El Café de Tacuba es un café con fantasma incluido. Dicen que de vez en cuando aparece y desaparece por el rabillo del ojo esa monja de hábito blanco y negro, dominica ella, removiendo manteles, rompiendo el frío sepulcral y saliéndose del marco de la cocina conventual de su pintura.

El 25 de junio de 1936, en los albores de la guerra civil de España, el también blanco mantel de la primera mesa, se vio enrojecido por la sangre del político mexicano Manlio Fabio Altamirano, tiroteado mortalmente en el recinto abovedado del Café de Tacuba.

Ha sido uno de mis restaurantes preferidos del casco viejo, cuando la Feria del Libro —a la que yo acudía puntual— se celebraba en el torcido y quebradizo palacio de la Minería, que tantos sismos ha padecido y aún aguanta al igual que el Café de Tacuba. Muy cercano también al Teatro de la Ciudad, donde es fácil encontrar a conocidos actores y directores de escena.

Como Pedro Gurrola y Paty Marrero, muchos bailarines de las compañías de Gladiola Orozco, Guillermina Bravo, Amalia Hernández o Jorge Domínguez, Lidia y Rosa Romero, los fallecidos Alex Witzman y Eva Zapfe, Adriana Castaños de Antares, el polifacético Paco Navarro, Isabel Beteta o esa musa llamada Norma Suárez, alias Fata Morgana, con los que he pasado interminables y deliciosas horas de tertulia en compañia de un café de olla mexicano.

La Casa de los Azulejos

«Hijo, tú nunca irás lejos, ni harás casa de azulejos.»
(Conde del Valle de Orizaba)

La Casa de los Azulejos, México.

Quizá el Café más emblemático de todo México es el local que ocuparon como palacete los condes del Valle de Orizaba y sus múltiples —sufridos calaveras— descendientes. Es un auténtico monumento a la ciudad. Una joya convertida en Café donde hay de todo y en perfecta armonía. También, como dice Bernardo de Balbuena, sucedió de todo, y en pequeño resumen me lo contaron, como más o menos se lo pueda contar yo ahora. Ése es el chisme, las historietas de los viejos Cafés o de los nobles locales convertidos en Cafés.

El primer conde de Orizaba, llamado don Rodrigo, tuvo un solo hijo legítimo —de los «otros» dicen que varios, cosa muy normal en la época y clase social— llamado Luis de Vivero, sobre él, como era de suponer, recayeron todos los títulos y tierras a ellos vinculadas. De éste pasó a su hijo llamado Nicolás, y así sucesivamente, hasta llegar a María Graciana de Velasco Vivero, protagonista de alguna historia, y de su hijo José Xavier Diego Hurtado, séptimo conde del Valle de Orizaba, y sobre el que recayera la célebre frase, por parte de su padre: «Hijo, tú nunca irás lejos, ni harás casa de azulejos.»

La Casa de los Azulejos, o el Palacio Azul, estuvo y está situada entre las calles de Madero, en su fachada principal, el callejón de la Condesa y la calle del 5 de Mayo en sus fachadas secundarias, pero todas ellas recubiertas de bellos azulejos, de tonos azules. Según malas lenguas, éstos fueron importados de China, y según otras, mucho más verídicas y creíbles, de la cercana ciudad de Puebla, donde existía una alfarería regida por frailes dominicos, quienes a su vez los trajeron de la escuela castellana de Talavera de la Reina. Ese Palacio Azul de bellos balcones fue testigo de cientos de anécdotas. Una de ellas la que se produjo en el callejón de la Condesa.

Cuentan que, en cierta ocasión, entraron por el mencionado callejón dos caballeros hidalgos, tan prepotentes como necios, en sendos carruajes y en dirección contraria, cada uno por un extremo de la calle. Ninguno de los dos quiso echar marcha atrás, en aras a la posible pérdida de rango y nobleza adquiridos y, sin llegar la sangre al río, permanecieron tres días con sus respectivas noches sin moverse de sus carruajes hasta que el virrey les instó a retroceder, cada uno por donde había venido, y buscar otra dirección. Así lo hicieron y todo quedó en una pintoresca quijotada que ilustra, además de las machadas del momento, las cubiertas de los ricos chocolates de la línea Condesa que la casa Sanborns produce.

Se cuenta también otro hecho insólito que aconteció en la citada Casa de los Azulejos. Me refiero al del Cristo de los Desagravios. El 18 de octubre del año 1731 doña María Graciana, firme devota, solicitó de la capilla del Sagrario del monasterio de San Francisco una imagen conocida como el Cristo de los Desagravios, una hermosa talla de tamaño natural para, según unos, venerarla, y según otros, restaurarla. El caso es que el 17 de noviembre, un temblor enorme sacudió la ciudad de México y, como es lógico, la Casa de los Azulejos no se salvó de él. No obstante, cuando el hijo de la condesa revisó la casa tras el fuerte sismo, comprobó que la herida del costado de la imagen estaba húmeda. Vio también cómo las facciones del rostro del Cristo estaban alteradas y habían pasado de representar a un ser vivo, con mejillas llenas, a un ser demacrado y hundido.

Llamaron a testigos y el hecho fue relatado ante notario. Desde entonces se venera el Cristo, que pasó primero a su antiguo lugar de la capilla del Monasterio, y posteriormente a la iglesia de Jesús Nazareno, donde actualmente reside.

El citado José Xavier Diego Hurtado de Mendoza, al igual que muchos de sus antepasados, era un calavera redomado de costumbres disipadas y mala reputación. Pensaba más en la diversión, en los caballos y en las mujeres que en los negocios y el trabajo, por lo que su padre, cansado de reprocharle continuamente, le dijo un buen día: «Hijo tú nunca harás casa de azulejos», así que tanto le debió recalar esta frase, que un día el joven cambió de vida, trabajó duro, reunió una fortuna y con ella reconstruyó y embelleció lo que hoy es gozo arquitectónico y placer culinario. «Sí hizo Casa de Azulejos.»

Todavía pasaron más cosas y otro hecho aconteció en la citada casa, hoy Café. Le ocurrió al penúltimo conde del Valle de Orizaba, Andrés Diego Hurtado de Mendoza, hijo de José Diego Pantaleón y considerado como un hombre de gustos y costumbres refinadas, de lujo desmesurado que provenían de una época cuyas ideas estaban impregnadas del Despotismo Ilustrado de la Península ibérica, pero, sobre todo, de Francia. Eran tiempos de un gran esplendor, tanto de la agricultura, ganadería y minería en Nueva España, como del comercio de materias primas; además, los albores del grito independentista del cura Miguel Hidalgo, del 15 de septiembre de 1810 y, años después, del inicio de la independencia en México, cuando el 28 de septiembre de 1821 Iturbide fue proclamado jefe de la Junta de Gobierno. Se iniciaba una época de convulsión social, de masas de gentes en las calles, de gritos a favor de Agustín I emperador de México. Don Andrés Diego Hurtado de Mendoza, penúltimo conde del Valle de Orizaba, se encontraba muy satisfecho —posado sobre la barandilla de su balcón— por la independencia de México, pero lejos de pensar que aquella noche sería la última para él. Los gritos independentistas fueron pasando de «Muerte a los españoles« a «Viva Lobato y lo que arrebato», convirtiendo la proclamación de la independencia en un atraco y pillaje descarado.

La Casa de los Azulejos fue ocupada por tropas del Gobierno al grito de «Abran la puerta o la tiro a cañonazos». Fue un suboficial, el subteniente Palacios, quien entró a la casa, sable en mano, en el mismo instante en que el conde de Orizaba bajaba las escaleras, y le asestó varias cuchilladas que le produjeron la muerte. Parece ser que las razones políticas estuvieron en un segundo plano y el motivo principal por el que se produjo la agresión fue la negativa del aristócrata a que ese oficialillo, de humilde origen y temperamento enardecido, festejara con una de las muchachas o damas al servicio de la familia. El crimen causó estupor. El agresor, Manuel Palacios, fue ejecutado en la vecina plazuela de Guardiola, y se intentó dar freno a una revuelta en que las envidias, codicias, saqueos e inseguridades estaban a la orden del día.

El 27 de octubre de 1871, con gran tristeza de los herederos del mayorazgo, la Casa de los Azulejos tuvo que ser puesta en pública subasta. Fue adquirida por un jurisconsulto de Puebla llamado Rafael Martínez de la Torre, aficionado a la literatura y considerado de «buen humor y protector de bohemios literarios». A este grupo de artistas pertenecerían el maestro Altamirano, Francisco Sosa y Francisco Pimentel, entre otros. Como no podía hacer frente a los gastos de la casa, fue de nuevo vendida a don Felipe Iturbe en 1877. Sus herederos la alquilaron en 1882 a un grupo de 22 personas aficionadas a las carreras de caballos, que construyeron el Jockey Club Mexicano. Era éste un lugar de moda, que contaba con salones de conversación, lectura, bacará, whist, póquer, billar, cámara para dormir la siesta, baños, restaurante, etc. Era el auténtico lugar de reunión de las clases altas, de claras influencias afrancesadas, juntamente con el Casino Nacional, del que era socio el mismísimo presidente Porfirio Díaz.

Los años siguientes, de nuevo la Revolución, que culmina en 1910 con las entradas respectivas de Madero, Pancho Villa, Emiliano Zapata y Venustiano Carranza a la ciudad de México. La Casa de los Azulejos fue transformada en la Casa del Obrero en 1912, hasta que después de abandonada se convirtió en el gran Café de la ciudad de México.

Dos hermanos californianos, Walter y Frank Sanborn, afincados en tierras mexicanas, habían adquirido un local en la calle de Filomeno Mata hacia 1903, que fue reconocida pastelería y heladería, famosa por sus *ice-cream*. Decidieron, dado lo bien que les iba el negocio, ampliar sus locales y se instalaron en la Casa de los Azulejos, donde ofrecían desde medicinas a cafés y desde *sandwiches* a helados.

Eran conocidos los jarabes y reconstituyentes como el «Cerebrina Ulrici», la quina o el agua de celis, muy popular entre los oficiales del ejército. «Sea fuerte y vigoroso» rezaba su propaganda. En 1919 la empresa les iba tan bien que ampliaron a restaurante, a pesar de los defensores de la casa-museo; consolidaron la farmacia, vendían té, café y tabacos, y transformaron la calle, de la que se decía: «Plateros fue una calle, luego una *rue* y hoy, una *street*.»

Sanborns se convirtió en un obligado lugar de reunión, donde, además, daban y dan un excelente café americano. No hay que pedirlo, nada más entrar te lo sirven y tan pronto te lo acabas, te sirven otro sin apenas pedirlo. Si por estar hablando se enfría, no importa, están atentos y te lo cambian. Hubo un intelectual mexicano que dijo: «hay dos tipos de hombres, el *homo sapiens* y el *homo* Sanborns», y tuvo mucha razón, porque en estos momentos superan el centenar de establecimientos en todo el país y no existe transeúnte que no caiga en la tentación de un buen café.

Los actuales dueños, Jack y Frank —especialmente este último, llamado cariñosamente «Panchito»— e hijos del Sr. Sanborn, han sabido conectar con la sociedad y necesidades del México de hoy, convirtiendo la Casa de los Azulejos en un esplendoroso Café-salón. Poca gente hay en México que no haya desayunado o merendado, siguiendo las buenas costumbres mexicanas, sus ensaladas de fruta con queso fresco *cottage*, tostadas de melba espolvoreadas con canela, deliciosas enchiladas o huevos rancheros; lo que sea pero siempre con excelente café, en Sanborns.

Al igual que Salvador Novo, cronista de la ciudad, insignes personajes de las finanzas, académicos, artistas, políticos, como lo puedan ser los duques de Windsor o el presidente Nixon, han pasado por esa casa. José Clemente Orozco, gran muralista mexicano, realizó por encargo de Iturbe en la Casa de los Azulejos una pintura que refleja la «Omnisciencia» representada por dos enormes figuras, una masculina llena de fuerza, valor, justicia y otra femenina, resignada, receptiva. Entre las dos una tercera dama que representa la gracia. Mucho debió de gustar a su mecenas la obra cuando exclamó: «Entre él y Miguel Ángel no hay pintor muralista digno de ese nombre.»

El 2 de junio de 1978 el inmueble fue adquirido en propiedad por Sanborns Hermanos, donde además de buen café exponen con acierto artesanía mexicana. He ido decenas de veces a los Sanborns, tanto al de la Casa de los Azulejos, como al de San Ángel, al de las columnas de la Zona Rosa, o al de Ángel de Reforma, al de Guadalajara junto al Hyatt y a muchos más. No sólo a tomar buen café ligero y enervante, sino a comprar tabaco, mis deliciosos *Te amo*, cuchillas, unos chocolates, productos de farmacia o una negra modelo. Sanborns, a pesar de su origen estadounidense, se ha transformado y adaptado perfectamente.

Mural de Orozco denominado Omnisciencia.

Últimamente, y según rumores de que el ex presidente Salinas tenía algún dinerillo metido en la firma —cosa que modestamente ignoro— ha influido en el descenso de la afluencia y simpatía por la marca; pero sugiero que aclaren el tema cuanto antes, evitando el daño que les pueda hacer. Mi sincero agradecimiento a Gustavo Gómez Salas, gerente de alimentos y bebidas de Sanborns, que tanto me ayudó.

Citemos de corrida otros cafés mexicanos, como el Café del Sur, el Café Veroly, Casa Medina y el Café Progreso que, al igual que hacen hoy los centros Sanborns, son servidos por agraciadas señoritas, mejor ataviadas que las de entonces, con lindos y coloridos trajes típicos mexicanos. Como Café típico mexicano La Parroquia de Veracruz, hasta el punto de que si uno está en Veracruz y no visita este Café, es que no ha estado en Veracruz. Es todo un espectáculo ver trajinar a los profesionales camareros, y resulta curioso oír cómo se pide más café, golpeando con cierta gracia la cucharilla en el vaso; la calidad del café jalapeño es inigualable.

Hard rock café

En la Avda. Presidente Díaz Ordaz 652 de Puerto Vallarta, en el estado de Jalisco, México —un pésimo y criminal presidente, por cierto—, uno se encuentra con un lugar peculiar, en cuya fachada se halla incrustado un viejo modelo de coche americano. La decoración juega un importante papel en el local, así como los abundantes objetos de consumo, como las sufridas camisetas, jarras, llaveros y otros reclamos de escasa imaginación.

Nos atiende Óscar, un mexicano alto, fuerte y bien parecido, de pelo negro recogido en coleta, que se nos ofrece amablemente a contarnos todo lo relacionado con esta marca que invade, desde hace poco, las principales ciudades occidentales. Me habla de que tanto en Madrid como en Barcelona ya existen algunos, sobre todo en esta última, inaugurado el 6 de noviembre de 1997, en la mismísima plaza de Cataluña. Es sumamente parecido al mexicano y, si me lo permiten, a casi todos los otros. Lo más característico es su barra de madera ovalada, bajo el chasis de un viejo auto americano. Aquí los manteles son de cuadros azules.

La idea de estos Cafés surgió en Londres, en 1971, cuando dos norteamericanos, Isaac Triget y Peter Morton, de Tennessee e Illinois respectivamente, instauran toda una filosofía pacifista, al estilo de Gandi, para que a través de estos locales se implante en todo el mundo. En realidad es un movimiento de tipo *hippy*, como sus dos fundadores, al más puro sabor americano en lo que respecta a la música y al tomarse un trago tipo cola, hamburguesa o café largo en un cálido ambiente que contraste con el frío *snack*. *Only one*, «sólo uno», o todos a una. Un local que reúna a todas las clases, de ahí que los dorados del latón, que significa riqueza, contrastan con los manteles de cuadros rojos de plástico, que constituye el símbolo de clases humildes y trabajadoras. La guerra del Vietnam, o «el gran desastre americano», quedan atrás, olvidados.

Discos microsurco, compac discs, rock en directo, guitarras eléctricas y fotos de artistas norteamericanos llenan las paredes, forman la decoración. Richard Burton, Ava Gardner y Debora Kerr, protagonistas de la película *La noche de la iguana*, rodada en estos parajes, decoran preferentemente el local. No faltan ni los Rolling Stones, los Beatles y, cómo no, el inmortal Elvis.

Hay café, pero privan los ahumados, especialidad de la casa, y el trago largo. Una moda anglosajona en un lugar que intenta ser acogedor, lejos de lograr el más puro ambiente mediterráneo, pero sí cerca de esa costumbre norteamericana de un hogar-*home* artificial y consumista.

CAFÉS DE CUBA

C.A.F.E. significa: Caliente, Amargo, Fuerte y Espeso (Popular)

Cuba siempre me sedujo. Me ha seducido profundamente. Mis antepasados fueron enterrados en la isla. He viajado durante toda mi vida, y cuando llegué a Cuba por primera vez, me dije: aquí. Éste es mi lugar. Mi familia materna, navegantes genoveses, aquí murieron. Mi hija lleva el grito de guerra de Cuba, cuando en 1868, en ese ingenio de azúcar, se levantaron contra la Corona española cantando ¡Yara! He tomado cafés con Alicia Alonso en el Teatro García Lorca, que no era otro que el del Centro Gallego y con Anna Casas, otra bailarina española residente en La Habana, además de Nincha, Terete, Elisa Cabot o Anna Monjo, y la muy querida compañía de ese malagueño ejemplar: Joaqui Ramírez.

Me he bebido decenas de mojitos con fresca hierbabuena en la Bodeguita del Medio, servidos por Eddy, o los famosos daiquiris servidos en el clásico Floridita por Orlando, lleno de recuerdos y cortinajes que evocan a esos personajes de ciencia ficción como Ernest Hemingway o el mismo Spencer Tracy; heladas cervezas en el Hotel de Inglaterra, viendo cómo la hábil cigarrera confeccionaba habanos hechos a pura mano y que luego me fumaría con lujurioso placer, con chaveta y tabla bunche en un rincón de la azulejada sala mozárabe —presidida por una estatua de bronce de una bailarina que dicen que fue Tórtola Valencia— al son de una banda animada que cada día toca en su concurrido y socorrido porche. O un café en el reformado Hotel de Francia, en el Sevilla, en el recién renovado Santa Isabel o en el mítico Ambos Mundos, de la calle Obispo.

Café París y Ambos Mundos de Cuba.

Siempre la misma y agradable fragancia y dignidad de un pueblo. Cuba es mucha Cuba y el viejo Café París de la calle el Obispo esquina San Ignacio, también.

Café O'Reilly

«Hay un lugar donde se unen nuestras tibiezas con el sol. Donde se siembra día a día la ternura.»

Un día paseas tranquilamente por las recién arregladas calles de la Habana Vieja llena de *side-cars* y bullicio. De pronto una joven cubana, Maday, se te acerca respetuosamente como para no molestar, pero a la vez para cazar a un turista desprevenido hacia su bar. Te vuelves y ves, en efecto, un curioso cafetín, presidido por una enorme escalera metálica de caracol que conduce al segundo piso.

El nombre de Café O'Reilly, que es también el nombre de la calle, viene de un viejo irlandés que acompañó a los españoles, hace ahora exactamente 480 años, a este precioso lugar en el que se fundaría la capital, denominada San Cristóbal de La Habana. Muy cerca de este bar café se celebraría la primera misa de la isla a la sombra de una ceiba, árbol centenario venerado por la santería.

Actualmente, y como es norma preceptiva, este Café, al igual que la mayoría de Cafés y restaurantes de la ciudad, son explotados comercialmente por una agencia gubernamental denominada Habaguanex, nombre de un conocido curandero de la isla que, parece ser, dio nombre a la ciudad.

Nos atiende Sahily, una autóctona responsable del local, de unos cuarenta años, pelo corto y morena. Más lista que el hambre y muy orgullosa de su original nombre de orígenes afroárabes, que sus padres tomaron de la protagonista de una novela de amor. En la isla uno puede ponerle a sus hijos el nombre que quiera, sin problemas, de ahí la enorme variedad de ellos. Me comenta Sahily, a propósito de los nombres, que ella tiene una amiga que se llama Usnavy y que no es otro que las siglas de un barco de la marina gringo anclado en otro tiempo en el puerto de La Habana. Otros comienzan con las dos sílabas del padre y otras dos de la madre. Joma sería Joaquín y María, por poner un simple ejemplo.

El O'Reilly fue, antes de Café, una camisería famosa. Un español sastre llamado Macho y bien conocido por don Macho, se había instalado en el n.º 13 de la calle O'Reilly en un negocio de confección llamado La Princesita apreciado por las camisas a medida. Allí delante aparcaban, en la década de los cuarenta y cincuenta, lujosos coches cuyos propietarios aguardaban sus hechuras a medida. Una forma grata de esperar era la de ofrecer un café a los ilustres clientes y sus chóferes, en el primer piso, mientras esperaban y preparaban la prueba. Así nacería una especie de cafetín improvisado.

Café O'Reilly, La Habana, Cuba.

El negocio de la camisería no prosperó y el supersticioso dueño pensó que lo del n.º 13 no era buena señal, por lo que lo cambió por el 1 y 3, sin importarle el resto de la numeración. Al final la camisería tuvo que cerrar, pero no la costumbre del café, que muchos recordaban. En 1980 un tal Ramón lo abrió con el nombre de El Bar de Ramón y era lugar muy frecuentado por *gays*, ya que lo habían incluido en sus guías. Pero el cubano de a pie es muy abierto, por lo que tras un pequeño estudio de mercado, se solicitó la opinión de la gente del barrio y comprobó que podía ser un auténtico café de tertulia y reunión sin ningún sello en especial que lo distinguiera, evolucionando hacia los cócteles, daiquiris, mojitos y café-café.

En este local se reúnen artistas, se hacen rifas y lo que en un tiempo fue símbolo de la mala suerte, el n.º 13, hoy es el de buena y es justo el número que se pega al culo de la silla premiada. Le pido a Sahily que me siga contando anécdotas del café y me explica la última y reciente con mucho regocijo. Un marino ruso tomó más de la cuenta y empezó a repartir billetes de 100 dólares. Ella los iba recogiendo al vuelo y guardando, evitando el descontrol de los asistentes. Se lo llevó a la bañera y lo bañó con agua fría y le puso hielo en los testículos, luego con la ayuda de un compañero se lo llevó al puerto, buscando un barco con matrícula rusa; resultó ser el capitán del navío y ahora, cada vez que fondea en La Habana vuelve al Café y tiene a Sahily como a una hermana mayor, a la que venera.

Le faltan aún muchos detalles en la decoración de la planta baja. Arriba en el segundo piso hay espacio, plantas, balcones y mesitas que permiten ver la transitada calle de La Habana vieja. Siempre suena música en vivo. Hoy están cantando 2 mujeres lindísimas y un mulato. Cantan danzón cubano de bolero y política en donde el Che está presente, al igual que Fidel, cuyo nombre no pronuncian, pero sustituyen con un conocido y estereotipado gesto o mueca que acaricia la barba.

El Floridita

> *«Es la cachanchera la bebida propia y típica de los guerrilleros de Sierra Maestra, hecha con limón, azúcar y ron, la precursora del daiquiri.» (AJGC)*

En la calle del Obispo esquina con Montserrate, existió un local, a principios de 1800, que se denominó La Piña de Plata. Era de cuando la vieja ciudad de La Habana, que los estadounidenses pretenden rebautizarla con Havana, se levantaba a la diana de las 4.30 de la madrugada con el cañonazo desde la Fortaleza y se acostaba al toque de retreta de las 8.30 de la noche, con el mismo estruendo. El lugar en cuestión era conocido por sus jugos exóticos, de las múltiples frutas tropicales que la naturaleza otorga a la isla: mamey, guanábana, níspero, marañón, chirimoya, guayaba, piña, plátano, mango, melón, tamarindo, canistel, anón, hicacos y cainitos, por citar algunas; todo un abanico de sabores excepcionales ayudados por el milagro del hielo, traído desde la cercana Veracruz o de Boston, donde un tal Tudor había montado una fábrica. Aparecía la era de los licuados y sorbetes frescos que ayudaban a calmar los calores del estío habanero.

Más tarde La Piña de Plata se convirtió en taberna de marinos, denominada La Florida, en la que se mezclaban los ardores del ron con los del calor, por aquello que dicen que «un clavo saca a otro clavo», comenta Eusebio Leal, actual cronista de la ciudad. Además del célebre ron de caña, de la que el *sitgetà* Facundo Bacardí tuvo mucho que decir, se alternaba con el vermut, coñac o ginebra, denominados «tragos compuestos» y claros antecedentes de la moderna coctelería.

Eran ya bien conocidos del Florida la barra larga de caoba, los taburetes metálicos, los grabados y las finas lámparas de vidrio andaluz, que lo hicieron evolucionar hacia un lugar de sobrio ambiente que mejoró notablemente la clientela. El ron, no obstante, era la bebida preferida que junto con el limón formaría parte de más de cincuenta preparados.

En 1914, esta vez un catalán, Constantino Ribalaigua i Vert, procedente de la pequeña villa de pescadores de Lloret de Mar, llegó al Florida como camarero, y cuatro años después se haría con él, tras alguna que otra jugada con sus paisanos Salas Parera, cambiando el nombre al ya familiarmente denominado Floridita, catedral de los daiquiris. Resultará curioso que el nombre de daiquiri provenga de una mina de cobre de la isla, que un italiano compró a su anterior dueño y al querer sellar el trato solicitó un trago, y no había en la casa más que ron, jugo de lima, hielo golpeado y azúcar. Tal mezcla agradó tanto al italiano que bautizó el trago con el nombre de la mina, el cual permanecería para siempre. También colaboró el ingeniero norteamericano Jennings S. Cox a la difusión tanto de la bebida como de los bellos parajes de Daiquirí.

En otra ocasión, y a finales de los veinte, se acercaría por primera vez por allí un hombre barbado y grande. Blanco como su barba, fuerte como un roble, de nacionalidad norteamericana, regresaría muchas veces más, después de la contienda de España y escribiría la célebre novela *Por quien doblan las campanas*. Era el mítico Ernest Hemingway quien ya antes escribiera *Fiesta*, y quien sin duda se convertiría en el más célebre y asiduo parroquiano del Floridita. Allá iban comerciantes, artistas, diplomáticos, profesores, funcionarios, políticos, estudiantes, transeúntes y turistas. Todos iba a tomar bien «la mañana» o «la tarde».

El mostrador, capitaneado por Constante, estaba bien surtido de tapas de jamón, mariscos, lomo o aceitunas. No era, pues, un

Café donde se tomaba sólo café, sino un Café donde se tomaban mojitos y daiquiris y que popularizó, sin duda alguna, Hemingway, quien cuando no estaba en su finca rústica El Vigía, de la vecina localidad de San Francisco de Paula, se lo pasaba desde la habitación 511 del cercano hotel Ambos Mundos al Floridita, los dos, en los extremos de la misma calle del Obispo.

Era Ernest Hemingway un intrépido aventurero que, cuando no corría en los Sanfermines de los años veinte, cazaba o pescaba agujas desde su lancha «El Pilar», que bautizaría con el mismo nombre de la patrona de la Hispanidad. Era un enamorado de los hispanos, pero sobre todo de Cuba. Junto a él otros insignes personajes de la vida de este siglo recalaron en el Floridita para tomarse un daiquiri: Gary Cooper, Ava Gardner, Luis Miguel Dominguín, el ya citado actor Spencer Tracy, que venía de rodar sobre la obra de Hemingway *El Viejo y el Mar*, Jean Paul Sartre, los duques de Windsor, el boxeador Rocky Marciano, Samuel Elliot, Herbert Mathews, Paco Rabanne o la bailarina Alicia Alonso. También los vascos del famoso Jai-Alai: Ermua, Salsamendi, etc. Un día apareció por allí un tímido personaje diciendo: «He venido a conocer a Constante, el maestro.» Era nada menos que Perico Chicote.

Constante era afable y elegante, con pantalón negro, camisa blanca con lazo, chaqueta roja de esmoquin y delantal por delante. Preparaba un daiquiri especial a Hemingway, que consistía en una receta mágica que hoy se puede solicitar, aunque a un precio exagerado de 14 $ o su equivalente a 2.000 pts. Se trata de doble ración de ron, azúcar, una rodaja de naranja, limón y unas gotas de marrasquino, todo ello con hielo *frappé*, ese hielo fresco que recuerda a *Las nieves del Kilimanjaro*, obra que el mismo escritor escribiera, y fórmula que ha recorrido el mundo. Hoy ya no está Constante, pero otros como Antonio Meilán, Angel Rolly o el actual Orlando siguen con la tradición del daiquiri.

En 1954, cuando Hemingway recibió el Nobel de Literatura, el Floridita se vistió de lujo para celebrarlo. Aquel «gigante caballero de barba blanca», amante de lo hispano, inmortalizó el daiquiri, rebautizó el Floridita y lo convirtió en cuna y catedral, no del café, pero sí de un excelente sustituto.

Otros cafés recomendados en La Habana vieja son La Lluvia de Oro, en la calle Obispo 316; el Patio, antiguo palacio en la plaza de la Catedral, siempre animado y con música; la desaparecida Josefita y la renovada Dominica, antigua chocolatería y hoy lujoso restaurante, y, como no, La Bodeguita del Medio donde Eddy, que sabe más que un espía ruso, te preparará el mejor mojito del mundo.

Lo que resulta muy típico, en el sentido de auténtico, y ya no tan económico para comer y pasar un rato de tertulia, son los denominados *Paladares*, casas particulares de cierta categoría donde sus dueños preparan comidas y ofrecen manjares, a veces incomprensibles para la economía maltrecha de un país, y es que los dólares lo compran todo; bueno, en el caso cubano «casi» todo. También para alojarse pueden alquilarte cuartos y casas. Si tuviera que recomendar uno, no lo dudaría: casa Lanusa, o mejor conocida como casa José «el gordo», en la calle 19 entre la 8 y la 10, en el barrio de Vedado. Creo que es uno de los personajes más interesantes y agradables de la Cuba actual.

Hablo más de bares que de Cafés propiamente dichos, pero en esos lugares como los citados Floridita o La Bodeguita del Medio, se generan verdaderas tertulias dignas de Café. Por eso no quise omitirlos.

CAFÉS DE COLOMBIA

«La única riqueza que ha demostrado que se encuentra en las entrañas mismas del país, reflejada en obras sociales y estructuras ha sido el café.» (Ligia Herrera)

Hablar del café de Colombia huelga, pero también Santafé de Bogotá tiene Cafetines con pedigrí, casi todos circundantes a la plaza del Rosario, en el viejo barrio de la Candelaria, en la Avda. 15 o Giménez y la 7ª. En la plaza del Rosario se encuentra el Museo del Cobre, la Universidad del Rosario, donde estudiaron leyes numerosos magistrados y políticos del país, y la más reciente Universidad Gran Colombia. En lo que hoy es propiamente la plaza, había antes unos viejos edificios que paulatinamente fueron derribados, convirtiendo la angosta calle denominada entonces «Entre El Pasaje y La Romana», en esta moderna plaza del Rosario, donde permanecen aún estos Cafés.

La Romana

«El jesuita José Gumilla es el primero que siembra un cafeto en tierras colombianas, en la primera expedición del río Orinoco y la Isla Trinidad el 10 de diciembre de 1731.»
(El Orinoco Ilustrado, Bogotá, Ed. ABC, 1955)

La Romana data de 1966. El lugar no es lo que se dice bonito, y las viejas mesas de pesada madera han sido sustituidas por las de formica y las sillas han sido revestidas de un plástico rojo horrendo. Un diploma enmarcado en la pared indica que el lugar ha sido distinguido por el organismo competente por el servicio y esmero. Es un espacio rústico, con paredes revestidas de madera y con armas antiguas en las paredes. Está repleto de pasta italiana, amontonada en bolsas y listas para vender, situadas sobre el mostrador, lo que indica claramente su origen italiano. También venden un surtido de vinos chilenos, que por su calidad y gestión han copado la mayor parte del mercado americano.

Marta Palacios me cuenta cosas sin atreverse a sentarse en la silla. Es ésta una delicada zona y de poca seguridad. Los momentos de violencia callejera han aumentado, pero los cafés son lugares tranquilos y de conversación. La clientela de este Café está formada por los periodistas del diario *El Tiempo*. Marta viste una chaqueta roja que marca el rango frente a las prendas de color verde del resto de las camareras.

Toreros famosos, de los que gusta Colombia, senadores, periodistas y el asesinado Carlos Galán, candidato propuesto para la presidencia del país, y que sería sustituido por César Gaviria, han sido clientes de La Romana. Una vieja camioneta de «Lukafé» descarga los sacos de grano tostado para el consumo del local, que se define como café fino de Colombia. Un tinto o un *tintico,* como denominan aquí al café largo negro de tipo americano, es lo más común.

Café Pasaje

«Nací en el campo y viví con la violencia, pero siempre escogí el camino recto.» (Héctor)

César Dante del Café Pasaje.

Héctor es un modesto «limpiabotas» que, como el resto de sus compañeros ocupa un lugar fijo en la plaza del Rosario, «entre El Pasaje y La Romana»; tiene sesenta y dos años, dos dientes y un excelente sentido del humor. Se gana la vida de «limpia» desde hace algo más de 20 años. Lleva un mono azul y una gorra blanca con visera a lo gringo. Es de tez blanca y se confiesa oriundo de la provincia del Magdalena Medio. Él conoce bien esta zona de la plaza del Rosario. Hace años la limpió de rastrojos cuando aún no estaba ni siquiera habitada. Recuerda haber recibido unos 3.000 pesos de entonces por un duro trabajo, y hasta tuvo que vender los aperos para sacar un poco más. Eran tiempos de abundancia para unos y de pobreza para otros, en especial para los de su clase. Siempre ha sido así y Héctor, desde su punto de vista de limpia, lo tiene claro.

También recuerda Héctor cuando por la Avda. Giménez corría paralelo el río San Francisco, de aguas limpias, donde lavaba su ropa. Había cerca del lugar un túnel donde se escondían ladronzuelos y donde la policía no osaba entrar porque era altamente peligroso. Por eso llegaron a tapiarlo.

Hace bien poco, Héctor discutió con un policía corrupto, como alguno que circunda y vigila la plaza. Salió en defensa de una vendedora ambulante de café y tabaco, cuyo carrito le querían decomisar. Ésa era su única forma de ganarse la vida de manera honrosa y no quiso dejarse sobornar o vender por el susodicho uniformado, que le ofrecía «protección» a cambio de dinero y sexo. Casi le quitan a él la caja de sus útiles de limpiar los zapatos por salir en su defensa. Le llevaron a comisaría porque ofreció resistencia. Era un policía «ardido», comenta, pero peor es este alcalde, el profesor Mockus.

Otro limpia se acerca y me pide dinero para el funeral de su hijita, de dos meses, que hace apenas unos días murió y lo precisa para la deuda que contrajo en el papeleo. Se mete en la conversación de Héctor y le increpa diciéndole que el profesor Mockus es bueno y está haciendo muchas cosas por la ciudad. Es curiosa esta discusión política que se entabla entre estos dos limpias sentados de espaldas a los Cafés de la plaza.

De todos los Cafés de la plaza el Café Pasaje es el más auténtico y, sin duda, el más popular; su nombre le viene de la estrecha calle que antes pasaba por allí. Tiene unos setenta años, según me cuenta César Duarte, el actual administrador, y desde su fundación en 1926 se han sucedido diferentes dueños, hasta que en el año 1969 una sola familia ha conseguido, por dos generaciones más, seguir con el negocio familiar.

A este Café vienen los esmeralderos de la calle 15 y cambistas de dólares. No hay que olvidar que en estos países de fluctuación constante de la moneda nacional con el dólar, se establece un sistema de cambio paralelo al oficial, que se realiza en la calle, y no es difícil encontrar a personas con calculadoras y cientos de billetes ofreciéndolos a los viandantes o automovilistas que acuden a cambiar. Son sumamente rápidos y hábiles, por lo que hay que estar muy despiertos tanto al tacto del papel como a la cantidad recibida o a las multiplicaciones hechas.

Lo mismo ocurre con las esmeraldas, donde hay que saber distinguir desde una buena turmalina a una mala esmeralda. Desde un vidrio pintado a un culo vulgar de botella. Éstos son negocios de mucha confianza, donde debes ir siempre con alguien que conozcas personalmente o recomendado y que te guíe. De lo contrario estás servido, si no te han robado antes por el camino.

A este Café solía venir, para recordar sus tiempos de estudiante, el anterior alcalde Andrés Pastrana, hoy actual presidente de la República, hombre afable del que se hicieron cantidad de chistes; también su padre Mijael o políticos como Alfonso Palacios. Aquí tomó su café y su último vaso de agua, servido por la mesera Berta Morales, el célebre político Jorge Eliecer Gaitán antes de ser abatido a tiros en la cercana Carrera 7.ª.

Sara con la cafetera exprés.

La sala es cuadrada y adornada por objetos que siempre estuvieron ahí, como una vieja radio de los cincuenta, un enorme reloj de pared, una tostadera de café, pósters actuales de cafeteros y turísticos de Colombia, aunque de verdad lo más antiguo, me cuenta Sara, la encargada del café, son dos grecas para hacer rico tintico de unos treinta litros cada una. Hay dos máquinas más de café expreso, pero la gente viene a tomar su tintico, café negro colombiano de greca. En el techo siempre esos viejos ventiladores de tres aspas que remueven el estático ambiente.

Sigue hablando César, que ahora se suelta, al mismo tiempo que recoge las fichas de aguardientes que le proporciona la mesera, y que es sin duda la bebida nacional típica de los cachacos, auténticos bogotanos, para distinguirlos de los rolos, también bogotanos, pero de otras capas sociales y de más dinero, es decir, con sombrero, abrigo, paraguas y chapines. Muestra de este ejemplo es que en este Café se gestó hace 53 años la fundación del Club de Fútbol Independientes de Bogotá, el equipo «pobre» de los bogotanos, si lo comparamos con su rival por excelencia: El Millonarios.

En el Café Pasaje se respira ambiente bohemio y denso. Un mostrador repleto de marcas de cerveza y un cuartucho al lado derecho de la puerta de entrada encierra una «boletería» de apuestas o, como le dicen aquí, de «chance», donde se prueba más fortuna cuanto más pobre se es. Mesas redondas, meseras mayores con uniformes un tanto descuidados, pero con la cabeza alta y una dignidad por encima de toda duda, ganándose el sustento día a día, donde María o Sara animan a ese cliente de poca fe en el futuro incierto de una ciudad difícil que paradójicamente se llama Santafé.

Otros cafés de la plaza y de las cercanías son el Sorrento, el Patiño, El Automático, muy frecuentado en otro tiempo, pero que conserva esa clientela exclusivamente masculina y selecta, con paredes llenas de cuadros de artistas colombianos, en el n.º 6-35 junto a oficinas de Avianca y el Banco de la República. Todos están destinados a desaparecer frente a las nuevas y confortables cadenas tipo Oma y situadas en zonas más tranquilas y seguras como la conocida «Zona Rosa».

Cartagena de Indias, Colombia, 1996.

El Café Sorrento es el más moderno de los tres de la plaza del Rosario, pues data de 1972 pero el único especializado en café expreso y *capuccinos*. Dicen que es de los mejores de Bogotá, según Gladys, la encargada. No en vano estos cafés como La Romana o el Salermo fueron propiedades de italianos, quienes importaron las máquinas de expreso conjuntando la magia del gran café colombiano con el gran hacer de los italianos. La decoración está tan mal conseguida como en el de La Romana, pero cambiando el plástico de las sillas por verde, en lugar de rojo.

En la Carrera 15 n.º 82-58, en la Avda. 19 n.º 118-78, o en el edificio Bavaria, por citar algunas, se encuentran las cafeterías OMA, una cadena donde ofrecen libros y revistas, discos o restaurantes, pero sobre todo excelente café en sus variedades de oscuro, normal o claro, amén de los expresos o *capuccinos*. Cuántos tinticos nos hemos tomado con Caro, mi fiel amiga, toda una actriz de inteligencia fuera de lo común, después de asistir al Camarín del Carmen, al Gimnasio Moderno o al Teatro Chapinero, discutiendo en Oma o en Pinms hasta altas horas de la mañana, con las ventanas bajadas para burlar la normativa municipal de cerrar a las doce de la noche.

Diez consejos para hacer un buen café colombiano

1.º El café deberá ser, ante todo, un buen café seleccionado, recién molido, fresco y con un grado de molienda de acuerdo al tipo de cafetera empleada.
2.º El café debe guardarse en lugar fresco y seco. Lugar en el que otros olores no alteren el del café y menos su sabor.
3.º Una vez abierto el paquete del café, se deberá guardar su contenido en un frasco limpio y hermético. Está recomendado ponerlo en la nevera.
4.º La cafetera deberá estar limpia y en buen estado. Usará sólo un filtro de papel cada vez que se utilice y si éste fuese de tela se hervirá la primera vez que se utilice.
5.º Para obtener un buen sabor, el agua deberá ser lo más pura posible, filtrada o mineral. Las aguas con cal o saladas dan mal sabor al café.
6.º Preparar sólo la cantidad de café que se va a consumir antes de una hora y utilizar la cantidad de una cucharada sopera por cada taza de café.
7.º Tirar el café ya colado y no volver a utilizarlo.
8 º El café debe consumirse fresco y caliente. No deje hervir la bebida o la recaliente.
9.º Retirar el filtro de forma inmediata después del uso y lavarlo con agua fría, mejor sin el uso de detergentes. Lo ideal es guardarlo en agua hasta su próximo uso.
10.º Tómese su tiempo para saborear un buen café. El disfrute de ese tiempo, la tertulia y los amigos son excelentes acompañantes.

CAFÉS DE PUERTO RICO

«El Café, lugar donde la soledad es fértil y el encuentro promesa.»
(Joan Barril)

Se cita la fecha de 1736 cuando entra el café en Puerto Rico. Eran los tiempos del Gobernador Ramírez de Estenós. El cafetal, la plantación, la hacienda se incorporan a la vida caribeña. Reconocidas fueron las haciendas de Alto Grande, en Lares, Gripiñas en Jayuya, Juanita en Maricao y Buena Vista, algunas de ellas transformadas actualmente en museos.

El primer Café de la isla lo abre un catalán llamado Turull, en 1816, en la dársena del puerto del viejo San Juan, lugar de cita de navegantes, hombres de negocios y banqueros. La Puya, el pocillo, negrito con azucar, *cortao* o «con leche» eran las órdenes que recibía quien los preparaba.

La Mallorquina

Dicen los puertorriqueños que viven en la isla, que la Mallorquina es el Café más antiguo de América aunque otros se inclinan por el Antoine de Nueva Orleans que data de 1840, pero fue antes un burdel y no se convirtió en Café-Restaurante hasta 1860. En realidad los hay mucho más antiguos, pero a la gente del lugar les encanta tener lo más antiguo como un valor añadido. El nombre le viene de un mallorquín llamado Antoni Puig i Carbonell quien lo fundara en 1848. Primero fue Café, chocolatería y repostería o confitería. Tenía dos salas grandes con una clara distinción. Una para blancos y otra para gente de color. Siempre fue un lugar de tertulias, animado por artistas, músicos y amigos de la ópera, cuando ésta estaba de moda.

En 1860 se decanta más como restaurante típico español, pero en el que se sigue tomando café. Situado en la calle San Justo 207 esquina con la de Fortaleza, ocupa un notable edificio colonial conservado en el viejo San Juan, o como dicen los estadounidenses en el *Old San Juan*. Una noche de noviembre solicité a un taxista moreno que me llevara allí en compañía de unos amigos. Se trataba de comprobar *in situ* todo aquello que te explican. Lo primero que te llama la atención son dos salas grandes de techo alto, separadas por una gran columna en donde descansan dos arcos de estilo gótico civil. Al fondo dos ventanas falsas festoneadas por arcos arabescos de herradura con motivos andaluces que evocan un artificial y horrendo patio andaluz hecho en América. Alguien se equivocó en la decoración y no por el motivo del patio, cuya idea es genial, sino por cómo lo llevó a tan mal término. Es evidente que el «artista» nunca visitó ni Andalucía ni Marruecos.

Fachada de La Mallorquina fundada en 1848.

Me encanta la amplia barra de madera noble del mostrador en la parte izquierda del local. Juan Montañés, veterano mesero, sirve bebidas, sobre todo «trago largo», a base de ron Bacardí. Estamos sobre la arena de un istmo y el aire es fresco y húmedo en esta época del año, pero agradecido a esos seis ventiladores hermosos que esparcen brisa marinera. Hay escasa luz y no porque se persiga un ambiente cálido, sino porque las cuatro lámparas árabes apenas si tienen fuerza. Podría aplicarse aquello de «no me hagas luz de gas». Dos grandes —enormes diría yo— espejos decoran una parte del local. Fueron traídos por el marqués de la Esperanza a Puerto Rico en 1810, pero, según dicen, datan de 1700.

Cuatro jarrones gigantes de porcelana checa, colocados junto a la pared, no congenian en absoluto con el contexto andalusí de la sala. Uno de ellos está roto y lo fue de un bastonazo que le dio un político y hombre de carácter Luis Muñoz Rivera, sin querer darle al jarrón pero que sí iba destinado a la cabeza del sindicalista Santiago Iglesias. Es de cuando las cosas se arreglaban a palos y de eso apenas ha pasado el tiempo, puesto que a palos se sigue discutiendo. Un ojo de buey en el centro de la pared no esconde sino un viejo reloj que data de 1856, parado en el tiempo, y que marcaba, además de las horas, los años bisiestos, las fases de la luna y no sé qué cosas más, pero sobre todo la marcha acelerada de un pueblo latino y tranquilo a la velocidad de los norteamericanos.

Javier Rojo, amable caballero, moreno y de porte elegante es el actual propietario. Está sentado en la mesa de al lado junto con unos clientes, comentando la velada, y pronto se sentará junto a nosotros para preguntarnos de dónde somos, aunque para ellos es fácil al oír nuestro acento. Proviene de familia asturiana y comenta con orgullo lo que significa y lo conocido que es su local fuera de esta isla, sobre todo en la querida México. José Antonio es otro mesero autóctono caribeño que como casi todos hacen de la «r» una «l». Creíamos que sólo los chinos lo hacían pero he comprobado que en «Puelto Lico» se habla así.

Los mantelitos de las mesas son de papel y han servido para que algunos artistas, mientras esperan o se toman un café, dibujen y plasmen de forma abstracta y contemporánea las improvisadas imágenes del momento. Tal es el caso del puertorriqueño Jorge Seno quien ha convertido tan reconocido caserón en un museo particular.

Nos sigue comentando Javier que ya su papá celebró su primera comunión en 1929 en este local cuando lo regentaba su abuelo. En el 36 se hizo cargo su padre y desde hace escasos años ha asumido la responsabilidad. Espera que su hijo también siga con el negocio una cuarta generación.

Si bien le falta calor a la Mallorquina, destaca en un lugar donde los horrendos rótulos de McDonalds arruinan el hechizo de las noches caribeñas. Vale la pena conservarlo.

Dos años después he pasado de nuevo por la Mallorquina. José ya no está, aunque sí don Luis «el gallego» que, con 31 años de servicio, continúa siendo el más antiguo. Han mejorado sustancialmente la decoración, como si nos hubieran hecho caso y ha dejado de ser el museo de Jorge Seno. Por lo demás sigue siendo un excelente lugar.

La Bombonera

«El café, que hace al político sabio y que ve a través de todas las cosas con sus ojos medio cerrados.» (Pope)

Éste sí es Café-Café, situado en la céntrica calle de San Francisco n.º 259 del viejo San Juan. Una bonita cristalera de tipo modernista anuncia el nombre de sus dueños y fundadores, un mallorquín llamado Puig y un judío llamado Abraham, allá en 1903. Se anuncia como «fuente de soda» y repostería fina, pero es en realidad el típico Café de meriendas, chocolate y ensaimadas. Es una sala alargada con enorme barra y numerosas mesas fijas con sillones, llena de azulejos. Está mal arreglado, pero conserva su encanto y ahora, además de café, todos los turistas piden coca-cola.

Donde se respira aire de Café-Café en San Juan es en el bar de la Casa de España, un insigne edificio, con título de palacete, con enorme patio, y en cuyo segundo piso huele a humo de puro, a carajillo, a café y a cazalla de la buena.

Lugar donde concurre toda la colonia hispana, se puede saborear un auténtico ambiente de Café, donde se ve tanto un partido de fútbol como una corrida de toros.

Si se quiere cambiar de lugar y ambiente, existe un Café Tabao a principios de la calle Fortaleza, cerca de la plaza de Colón, colonial, de cómodos sillones y enormes plantas, muy interesante. También la vieja Cafetería Mallorca, un tanto destartalada, en la calle San Francisco con Tanca. Una fotografía panorámica de Palma de los años sesenta domina el lugar. El Café Bohemio, en el bello complejo del hotel El Convento, Las Arcadas y el Marisol, ambos en la calle de Sto. Cristo, y el Café Berlín de la plaza Colón, completan el conjunto de Cafés puertorriqueños.

El Patio de Sam

«Así somos los clientes de El Patio, alegres hasta el humo de la tristeza, hidalgos brujos de la cantina incesante, así somos los nietos queridos de este espacio que habitan de fiebre los puros perversos e infatigables duendes de San Juan.» (E. Reyes)

Esta vez nada mejor que la poesía de Edwin Reyes escrita sobre el papel de las mesas hace ahora 12 años, para describir este impresionante lugar, que dicho sea de paso, tiene «duende».

«Hay un espacio, un punto, un hervidero de energía en la calle de San Sebastián 102. El entra y sale es grande en este vértice donde gira sin bordes la luz bruja del viejo San Juan. La gente cruza de la acera a lo hondo del lugar, al patio clave, sin percatarse de la sombra menuda de un hombre que allá dentro los ve pasar a todos con la sonrisa serena, a veces lenta de dolor, en su remota piel fulge el carimbo que marcó a sus mayores...»

El marco es incomparable. Una antigua vivienda, con diseño hispano y patio andaluz en su interior, fresco y tranquilo, en la que habitaba el negro sensible y astuto, Heriberto, que se convirtió en leyenda. Primero era un taller donde arreglaba y alquilaba bicicletas, pero

El Patio de Sam en Puerto Rico, bello antro cultural junto al Boquerón.

un buen día decidió cambiarlas por cerveza y borrachos y abrió un lugar donde las mesas eran altares; artistas y poetas comentaban que soldados de los Estados Unidos tuvieron la «genialidad» de rebautizarlo como Sam y así quedó El Patio de Sam, donde cantantes y tocaores como Pedro Cabrera han dejado profunda huella, siempre bajo la serena y constante mirada de Heriberto.

No puede decirse que sea netamente un Café, sino más bien una tasca donde se bebe una exquisita cerveza negra, donde te dan de comer al estilo criollo, y donde el café negro servido por cocineras y meseras mulatas sabe a gloria. Lo mejor de todo es la tertulia que se genera en un ambiente tan extraño, frondoso y a la vez castizo.

El local está actualmente en manos del madrileño John Gómez y destaca a la entrada una foto del Príncipe de Asturias, Felipe, cenando en el lugar. De casta le viene al galgo.

CAFÉS DE PERÚ

«El café es, después del petróleo, la materia prima que más divisas mueve. Eso dicen los que entienden.» (José Juárez)

Lima quizá sea después de La Habana la segunda ciudad latina más romántica por excelencia. Eso no quiere decir que sea la más «española», que quizá se lo lleve Buenos Aires. No le acompaña el clima, siempre gris, pero el día que luce el sol, está radiante, sobre todo en esos barrios nostálgicos a rabiar como puedan serlo Barranco o Miraflores. El centro de la ciudad con su plaza de Armas, plaza San Martín y todos sus jirones colindantes poseen ese encanto de la flor de la canela que cantara Chabuca Granda, la más grande cantante de valses peruanos.

En pleno centro, un bonito y clásico hotel, el Gran Bolívar, hoy un tanto olvidado por su situación en el casco antiguo de la ciudad. En el hotel un Café con terraza que da a la calle y unos pisco-sawer de muerte (la bebida nacional peruana). El café excelente, pero sobre todo la gente y el ambiente, extraordinario. Lima es, sin duda alguna, lugar de Cafés y tertulias.

Me cuenta Chechi, mi amiga entrañable, que la vieja costumbre del Café limeño hay que buscarla primero en el tentempié de las 12, del aperitivo antes de la comida, después de la salida del trabajo y antes de llegar a casa. Era la paradita intermedia. Los bocaditos de costilla de ternera, los apanaditos, los choritos en concha, el famoso «buchamen» o carne de delfín, la papa rellena, etc. eran los manjares preferidos de estos lugares. También existía el tranquilo Café donde después de comer y de regreso al trabajo, muchos hacían su segunda paradita. Evidentemente eran otros tiempos.

Así habría que recordar el Café Cordano, junto a la plaza del Gobierno y frente a la estación del Tren de los Desamparados, un lugar donde se conversaba, «lo cual era un arte en el que se invertía mucho tiempo». En Barranco, barrio colonial y bello, el Café Queirolo, el Juanito —fundado en 1927, es el más antiguo de Barranco—, el Ekeko, Las Mesitas de Barranco o ese lugar, que más que Café es restaurante criollo, con sabor a Café, denominado El Otro Sitio, el Piselli, el Café Rovira en la plaza de Grau, en el Callao, etc.

Café Haití

«En este café se encuentra de todo: perro, pericote y gato.»*
(Francisco Filomeno)

La historia del Café Haití se inicia hace cincuenta años, cuando el italiano Antonio Neri funda en 1948, en la céntrica calle de Ahumada de Santiago de Chile, un Café así denominado. El negocio del primerizo café exprés, cuyas máquinas automáticas así se denominaban —de ahí le viene el nombre de Haití—, le debió de ir bien cuando decidió abrir otro Café en Lima, Perú, situado en la plaza de Armas muy cerca de la estatua ecuestre del fundador de la ciudad, Pizarro.

La diferencia con Chile era que en Perú la gente gustaba de tomar café «pasado» o colado pero no el fuerte exprés, por lo que para

* Pericote es el ratón.

implantar esa moda tuvo que regalar muchísimos cafés exprés, servidos en pequeños vasos, incluso por la calle, fuera del Café. De esta forma condicionó el gusto y el consumo del café italiano. Esto ocurría en 1952.

El actual Café Haití abrió sus puertas en 1962, en la barriada de Miraflores, un sector selecto y frecuentado por políticos y burgueses, sustituyendo a otro Café restaurante denominado Calipso. Su trotado toldo bicolor verde y rojo nos protege tanto del sol veraniego como de la horrible llovizna de otoño. Desde su concurrida terraza se ve pasar calesas en las que limeños y turistas pasean por este tranquilo barrio de la castigada Lima. En el interior unas palmeras de plástico rompen el encanto de un lugar donde se sirve un café de primera. Al Haití solía venir tanto el presidente de la nación, Belaúnde Terry, como Alan García o el mismo Mario Vargas Llosa —allá nacieron muchos pasajes de la obra *La ciudad y los perros*. Otros personajes de la vida pública limeña como A. Bryce Echenique, Antonio Cisneros o la nobleza representada por Manuel Ulloa, eran asiduos al Café-tertulia del Haití.

El Haití de Lima, el más emblemático de Miraflores.

Era una tarde, hace ahora justo siete años, en el 91, cuando un sujeto que no levantaba sospecha alguna, colocara un maletín entre las plantas situadas en el interior del Café Haití, de la calle Diagonal y plaza del Parque de Miraflores. Un camarero atento del servicio observó cómo del maletín semiescondido salía humo, y en un acto reflejo e inconsciente lo agarró y lo depositó en la vereda del Café. Más tarde artificieros de la policía se personaron rápidamente y lo desactivaron, para suerte de todos.

Alfredo Silva, junto con Mario Muranes son los camareros o «meseros» más antiguos del lugar, con treinta años al servicio de la empresa de Antonio Neri, quien regenta el establecimiento. Este último camarero, Mario, es quien nos cuenta todo esto en un Café repleto de gente en su terraza exterior, testigo de cuanto acontece en este barrio burgués de Miraflores.

Café-Café

Joven de edad, apenas dos años desde su apertura, realiza un importante papel social aglutinando a jóvenes limeños de clase acomodada, gays intelectuales o señoras maduras que, como dice mi amiga Cecilia, vienen a «pinchar» o pescar a algún jovencito que las satisfaga en sus apetencias sexuales.

Como Café nuevo está decorado con estilo y buen gusto, mesas y cómodos sillones de mimbre y en la pared un rótulo pintado que titulan: La aventura del café.

Negro como el diablo, caliente como el infierno, puro como el ángel y dulce como el amor. Llaman la atención los múltiples niveles del establecimiento, que crean ambientes diferentes. Entre ellos, la barandilla de mirones o la tribuna general —como le dicen— ocupa un destacado lugar. Sin mesas y apoyados con la barbilla en el posamanos de la barandilla, una fila de «buscas» están a la caza y captura de cualquier presa fácil, ya sea mayor o menor, gay o jovencita «desprevenida», claro que, cuando alguien va por allí ya sabe que además de un excelente café, puede tocarle algún «regalito».

María Teresa y Jessica son dos de las guapas seleccionadas para servir en el Café-Café, en unas preciosas tazas de cerámica gris. A pesar de su juventud, el Café-Café se ha hecho con un lugar en Miraflores.

En una encuesta realizada por una empresa peruana de marketing, y publicada en un diario local en 1997, se refería a las preferencias de los jóvenes de Miraflores en cuanto a locales para tomar café y sentarse. Evidentemente Miraflores no es Lima ni los jóvenes representan al personal de un Café, pero el estudio arrojaba los siguientes e interesantes datos:

Un punto de venta ambulante de café.

Café-Café	54 % de las preferencias y calidad/precio		
Café-Olé	34 %	"	"
Café Bohemia	18 %	"	"
New Café	15 %	"	"
Mangos	7 %	"	"
Manolos	7 %	"	"
Haití	6 %	"	"
Otros Cafés:	Vivaldi, Voltaire, Milenium, etc.		"

La Tiendecita Blanca

«La taza de café de la mañana tiene un toque alegre que no cabe esperar de la consoladora taza de té de la tarde.»
(Oliver Wendell)

La Tiendecita Blanca, o lo que es lo mismo, el Café Suisse, constituye un lugar de buen gusto desde 1937. Situada en el conocido

«Óvalo del Pacifico», es un punto de intersección de las avenidas Larco, Diagonal, Pardo y Arequipa en el barrio de Miraflores.

La Tiendecita Suiza, como se le llama de forma común, es, además, una excelente charcutería, con conservas, embutidos, quesos y bebidas, sobre todo vinos. Hay tartas de ensueño y fina repostería de origen helvético. En realidad es un lugar elegante, para gente bien, con un piano de finas maderas rojizas al fondo, con el que se organizan conciertos selectos a ciertas horas de la tarde.

La cúpula del local es semicircular tirando a elíptica, decorada con pinturas exóticas. Lourdes es la atenta mesera, guapa y esbelta, con ojos expresivos y castaños, aunque reservada. Lleva un blanco delantal y se nos ofrece para lo que deseemos, pero eso de responder preguntas se le hace extraño. Atiende tanto el interior como la terraza, protegida de la calle con coloridas flores y un guardacoches para los clientes; ése posiblemente sea el más veterano del lugar.

Los «guardas» son los que más saben de estos locales. Ex presidentes como el ya mencionado Belaúnde Terry y políticos actuales acuden a este Café para conversar. Por eso no es de extrañar la excesiva vigilancia del gran salón de tonos rojizos. He llegado a descubrir hasta tres cámaras semiocultas situadas en los lugares más estratégicos, que vigilan todo el recinto. De haber estado en el Café Haití, probablemente hubieran localizado al señor del maletín con la bomba.

CAFÉS DE SANTO DOMINGO

La Cafetera Colonial

«El buen café no pinta. Es ámbar ligero.» (José Juárez)

Como es habitual, he preguntado a la gente mayor de la ciudad por el Café más antiguo y, a diferencia de otros lugares, todos sin excepción me han indicado este curioso local presidido por una enorme cafetera de reclamo en su entrada, enturbiada por un anagrama de *Seven Up*. Se trata de La Cafetera Colonial.

El local está un tanto descuidado, pero constituye un punto de reunión de artistas, sobre todo pintores y políticos de ambas nacionalidades en reconocimiento de la cultura nacional. El dueño actual, el Sr. Juan Manuel Franco, me comenta que el actual presidente Leonel venía con asiduidad a tomarse su cafecito, ya que su oficina le quedaba muy cerca. Es también en Santo Domingo donde se reconoce a Rodrigo de Xares como el primer europeo que se fumó un puro. Venden café dominicano y libros, cuyos autores aciertan a venir a tomarse un buen «tinto» en este destartalado pero interesante Café de artistas con humo de puro y aromas de indiscutible café.

CAFÉS DE ARGENTINA

Cafés porteños

«Del Tortoni de París y el Vechete y el Procope, al Chiado de Lisboa, desde el Gato Negro de Madrid al Aragno y el Greco de Roma, desde el New York de Budapest a los reductos del gran village neoyorkino anduve buscando el espíritu de las bohemias de mi adolescencia y mi juventud, persiguiendo sombras ilustres unas, pintorescas otras, y ese espíritu que es la nostalgia de haber vivido lo vengo a encontrar en el Tortoni de la Avda. de Mayo, cuyos renovadores se han puesto a revisar fantasmas gratos, entre quienes se encuentran tantas gentes que admiré y envidié y tantos amigos que se fueron y desvanecieron.»

(Edmundo Guilbourg)

Hace calor en este otoño de abril en Buenos Aires y las perchas, vivos testigos en las paredes, permanecen vacías sin un sombrero, gorra o bufanda que las acompañen. A mi lado unos caballeros hablan de lingüística y reiteraciones. No se puede decir «te vuelvo a repetir» sino «te vuelvo a decir», comentan en alto, puesto que antes no había tal repetición. En eso tienen razón, y me encanta cuando no se habla ni de fútbol ni de mujeres. Argentina es un país mayoritariamente culto, y no es difícil encontrar abogados, maestros, ingenieros o psicólogos trabajando el taxi.

Buenos Aires es quizá la ciudad del mundo que más Cafés tenga, con pedigrí y tertulia. Siempre llenos y rezumantes de sabor bohemio. No obstante, habrá que aclarar que lo primero que emigra hacia América desde la península Ibérica es la taberna o la fonda. Posteriormente el Café, bien entendido que en éstos, además de vender y tomar esa bebida, se vendían licores y aguardientes, tabacos, incluso otras cosas. Además, algunos solían hacer algún «trabajillo» de contrabando, de materias primas, con lo que adquirió la palabra oriunda de Cádiz, «boliche». Luego el término *Café* se sofisticó y, además de esta bebida, se ofrecían chocolates, refrescos y pastas, de ahí el término de *confitería*, con el que actualmente se conocen algunos Cafés argentinos.

Del Globo al Imparcial

«No nos une el amor, sino el espanto... será por eso que la quiero tanto.»
(J.L. Borges)

En la céntrica calle Pelegrini, en plena avenida 9 de Julio, frente al Obelisco. Dos cafés típicos se hacen la competencia: Café de la Ciudad y, frente a él, Café de Buenos Aires, repletos de amena tertulia de gente normal; muy cerca, en Cerrito, El Español, en la plaza de San Martín el Petit Café, con clase. En la avenida de Mayo El Hispano y Café Alameda. También cerca El Globo y El Imparcial, la mayor parte con sabor y origen español, sin olvidar La Paix, La Paz o la «P», obviamente afrancesado.

Cada barrio tiene sus Cafés, y sólo menciono algunos del centro. Un excelente reportaje a la nostalgia, como lo titula Jorge A. Bossio, nos comenta de cientos de Cafés en Buenos Aires, donde se hablaba de fútbol, de esos dos colosos del Boca Juniors y del River

Plate, o del Gran Premio de las carreras de caballos, a los que son tan aficionados. O de las carreras de coches con aquel monstruo del volante, Juan Manuel Fangio. También eran objeto de tertulia acontecimientos políticos, estrenos culturales del Gran Teatro Colón, el más impresionante que he visto jamás, o de los otros cientos de teatros de la capital. Hoy, como comenta el autor, es más frecuente encontrar jugadores de bolsa, magnates de las finanzas o *chorras yuppies* con el Movicom o teléfono celular. Algunos hasta con el *trucho* o móvil de mentira que utilizan para impresionar... nada más decadente, y es que, como decía Jorge L. Borges: «No nos une el amor, sino el espanto... será por eso que la quiero tanto», refiriéndose a su Buenos Aires querida.

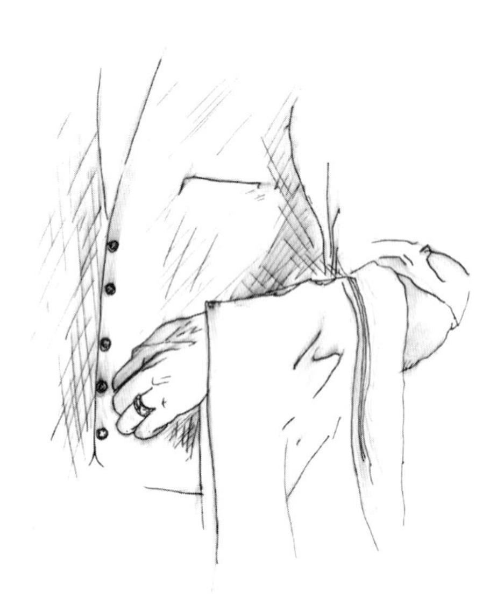

El camarero profesional siempre atento con su trapo o bayeta en el brazo.

Resulta curioso que en la actualidad, El Globo y El Imparcial, son del mismo dueño, con lo que la clientela está asegurada, pero con anterioridad la cuestión era bien diferente, ya que era de dos socios que amanecieron juntos pero que a lo largo del día se separaron y uno de ellos montó la competencia justo frente al segundo. No obstante, El Imparcial ya existía, pues data de 1860 y El Globo de 1908, nada menos que cuarenta y ocho años de América. Ambos están en la calle Yrigoyen esquina con Salta.

Cuentan que el 6 de diciembre de 1965, hacia la una y media de la tarde, se produjo el derrumbe del techo del local de El Imparcial pillando dentro a los mozos Víctor Bueno, Horacio Pezzi y Dalmiro Amado, además de parroquianos como Pedro Toribio y el fotógrafo David Orsini. Un hotel con 31 habitaciones, el Victoria, situado encima del local, cayó encima del Café en donde había en ese momento 65 personas. Fue una auténtica catástrofe.

Soy asiduo cliente del restaurante El Globo, con sabor a castizo Café madrileño. Desde hace más de quince años, al menos una vez por temporada, en el mes de abril o mayo no falto a mi cita y me honra tomarme una botella de tinto Norton de Pedriel con esas exquisitas ensaladas bonaerenses de radichetta, berros, zanahoria, betabel (remolacha), acompañando un bife de chorizo o un cuadril, y es que, además de buen café, cocinan mejor y la restauración obviamente deja más que el simple café. Eso y disfrutar de la amena conversación con Adriana Silvestri, son dos de los acicates que tiene este lugar. Son restos de los añorados Cafés hispanos, llenos de recuerdos y carteles turísticos, culinarios o taurinos colocados en sus paredes. Techos altos y rectangulares sostenidos por grandes columnas revestidas de madera. Siempre azulejos y espejos, dos elementos constantes en muchos Cafés de antaño.

El Globo apenas si ha tenido cambios desde su inauguración hace 90 años. De amplia barra de madera, con aparador de bebidas y el espejo rematado por un blasón. Lámparas de forja y esos sabios inventos que son los ventiladores frente al terrible aire acondicionado de los anglosajones. Sus puertas de acceso a la calle son de aire modernista de principios de siglo, la separan de la sala por una linda y trabajada mampara de media altura, con vidrios opacos y coloreadas flores dibujadas, que señalan la zona de fumadores y la de los no fumadores, una clara alusión a la epidemia que afecta a los americanos del norte y que se está propagando a marchas forzadas. A veces tan tolerables, a veces tan intransigentes, según sus intereses económicos, que son los que en definitiva les privan.

Son Cafés restaurantes de manteles, ya no blancos sino crudos, pero siempre de tela, ribeteados a máquina. Sus servilletas también de tela cruda llevan bordado el anagrama del local. Al menos el tacto es bien diferente al papel. El tono verde conjuga con la madera. Múltiples plantas se reflejan en los espejos, pero lamentablemente son de un plástico desolador. El servicio excelente, y Óscar es el camarero de mi zona, de camisa blanca impecable, pajarita roja, chaleco y pantalón negro. Son mozos o meseros con casta y oficio. La servilleta o paño siempre doblada en el brazo. Te cubren cuidadosamente los bolsos y prendas de vestir sobre una silla con un trapo blanco para que no se manchen. Es una buena costumbre que no la he visto sino en Buenos Aires. Se remata con un buen café, que dicen viene de Brasil. Eso sí, siempre de máquina, expreso italiano, como mandan los cánones argentinos.

Café Suárez

«Se notificará la prisión de toda persona mal entendida o vagabunda cuya detención se hubiera realizado en pulpería, casa de truco, cafetería u otro lugar, donde se hallaran jugando a naipes u otra clase de juegos prohibidos.» (Auto promulgado por el virrey Vértiz y Salcedo en 1779)

Aromas de café, música de platillos y cucharillas en una noche bonaerense, sentado en un típico Café de la avenida Corrientes, esquina de Maipú. Se trata del bar-Café Suárez. En el teatro Astros,

Ramón, atento mesero del Café Suárez de Buenos Aires.

sobre Corrientes 746, hoy actúan Mercedes Carreras y Darío Vittori con el espectáculo «Secretos de Hotel». Hay descuentos para jubilados y precios desde 10 pesos, que equivalen a 10 dólares y es, como reza la propaganda del teatro, «para que no se pierda esa hermosa costumbre de ir al teatro». Es un Café donde vienen los cómicos y vedetes, antes y después de la función y es bonito verlos de reojo cómo comentan la función o conversar con ellos, siempre abiertos y brillantes en torno a un café.

Su interior refleja un poco de *belle époque* con aires clásicos de columnas con frisos y capiteles escalonados. Hay cantidad de fotos de los años treinta adornando las paredes y muchas plantas naturales. Ya era hora de encontrar flores y plantas vivas. Me comenta César, que es el camarero de turno —elegante y con chaleco y pajarita verde, pantalón negro, bandeja en lo alto y rejilla en el brazo, viva estampa de un camarero activo y profesional—, que este local lo frecuentaba mucho el futbolista Alfredo Di Stefano, cómicos como Fidel Pintos o el Gordo Porcel, también el bandoneonista y popular Aníbal Troilo.

Desde hace tiempo no ha ocurrido nada espectacular o digno de mencionar, al margen de los choques de carros en la transitada entrecrucijada de Corrientes con Maipú, me sigue contando César. No hay mucha gente sentada en sus negras mesas y marquesinas verdes de los ventanales. «Mirá, ya serraron muchos locales acá. El legendario Molino tuvo que haserlo, a pesar del quilombo que se montó, viste. La cosa es así.» Los ventiladores de tres aspas no cesan de girar, lo que le da un aspecto finalmente colonial. El café, muy bueno.

Las Violetas

«Café del pasado, a tus mesas para levantar el ambiente, llegaban por las noches Bevilaqua y Campoamor, de clientes, y en atención a tan selecta concurrencia, se tocaba "La cara de luna" y "La Independencia".» (Enrique Cadicamo)

Situado en el antiguo Camino de los Reinos de Arriba, hoy calle de Rivadavia, se encontraba este maravilloso lugar que data de 1884, en la misma esquina con Medrano. Es grande, enorme, ubicado en un edificio de tres plantas tipo *art decó* con amplia fachada. Dicen que perteneció a Jorge Dufau y allí concurrían pintores y escritores como Roberto Arlt, su amigo Julio Usandivaras o el poeta Francisco Villisac. Ya por la noche solía venir Alcides Gubellini, para quien Nicolás Olivari tuvo palabras de elogio al evocarlo como «el más grande poeta plástico que tuviera Buenos Aires».

Hoy más que Café es una cómoda y lujosa confitería y licorería con muchos pasteles y dulces, vidrieras modernistas, grandes columnas y una amplia escalera que lo comunica con el primer piso, lo que le da categoría y perspectiva. Abunda el mármol, los revestimientos de maderas, los espejos y las plantas vivas. El café siempre te lo acompañan con un vasito de agua y una pasta. Más que un Café de tertulia es un Café de señoras y meriendas. El cajero, que lleva 21 años en la empresa, no me suelta prenda. En cambio el Sr. Pazos, que es el gerente, se muestra amable y comunicativo.

En su fachada, múltiples placas conmemoran diversos hechos. La Junta de Estudios Históricos de Almagro instituye la fecha del 28 de septiembre de 1839 como la fecha del barrio de Almagro, ya que don Julián de Almagro adquirió en ese día la mencionada finca y dio nombre al popular barrio. También otras de la Cámara de Comercio y de la Asociación de Amigos de Almagro, en su centenario de 1984. Es uno de los Cafés importantes fuera del centro de la ciudad. Un Café de barrio.

Café Tortoni

«Al Café Tortoni, que ha sabido conservar el sabor de antes, cuando aquí se reunían toda clase de intelectuales argentinos y por supuesto españoles, como Federico García Lorca, y ahora cuando vienen de España se acercan a su Café. Con un saludo lleno de afecto.»

(Juan Carlos I de Borbón)

Sin duda el más conocido y emblemático de toda la ciudad. Cuenta Emmy de Molina que un tal Tortoni, italiano él, se dedicaba a vender helados por las calles de París poco después de la

Revolución francesa. No lo debía de hacer mal, puesto que llegó a tener su propio Café en París, que bautizó con su nombre, donde la «cassata», los «pezziduri», especialidad napolitana, y el helado denominado «queso» se convirtieron en célebres manjares recomendados de la casa.

El Tortoni de Buenos Aires, según Antonio Requeni, fue fundado por un francés de apellido Touan en 1858, inspirado en el Tortoni parisino. «Hallábase entonces en la esquina de Rivadavia y Esmeralda, de donde se trasladó algunos años después al n.º 826 de Rivadavia. En el predio de origen se instalaría posteriormente la Confitería del Gas. Manuel Bilbao mencionará el Tortoni como uno de los "Cafés más nombrados del siglo pasado". Al abrirse la avenida de Mayo, el local, cuyo ingreso se hacía sólo por Rivadavia, tuvo entrada también por la avenida —en el número 829—, que es su acceso principal, lo que acrecentó su importancia. El dueño era ya otro francés, Pedro Curutchet, simpático personaje con barba en forma de perilla y casquete de seda color negro (como Anatole France) de quien Tomás Allende Iragorri y Ricardo M. Llanes dejaron dos retratos igualmente encariñados y vividos.»

El Tortoni y una célebre cigarrería.

Gracias a Pedro Celestino Curutchet funcionaría en los sótanos del Café Tortoni desde 1926 a 1943 la famosa Peña por la que pasaron desde presidentes como Marcelo Torcuato Alvear hasta Josefina Baker. Allí funcionó también un grupo de teatro denominado Teatro Íntimo del Tortoni, llevado por Benito Quinquela Martín, quien se convertíría en *manager* y mecenas de numerosos artistas plásticos, poetas y músicos. El Tortoni se constituiría en el primer Café-teatro de Buenos Aires.

Ilustración del Café Tortoni de Alfredo de la Mata.

Era don Marcelo T. Alvear todo un presidente de República que desde la cercana Casa Rosada de la plaza de Mayo se iba caminando por la avenida hasta el Café Tortoni. A veces solo, otras acompañado de su esposa Regina Pacini, se tomaban su café y bajaban a la Peña para escuchar los poemas de Nicolás Olivari, a Carlos de la Púa o a Javier Furgang, verdaderos desconocidos entonces. También era frecuente encontrar a Arturo Rubinstein o al hispano Ricardo Viñes tocar el piano. Otras veces era la extraordinaria voz de Lily Pons o las disertaciones de Luigi Pirandello. Eran épocas, como había comentado, en las que la gente, incluido los presidentes, podían ir paseando por la calle sin temor alguno. La Peña era todo un acontecimiento y tuvo un nacimiento ocurrente. Hacia los años veinte, jóvenes bohemios fueron invadiendo el hasta entonces «selecto» Café ante la típica alarma y asombro de la acomodada clientela. Por ello Mr. Curutchet acondicionó su bodega de vinos y la puso al servicio de las nuevas tendencias, haciendo convivir dentro de un mismo local, dos familias muy diferentes. Benito Quinquela, Alfonsina Storni, Juan de Dios Filiberto, Carlos de la Púa, Baldomero Fernández, Alberto Mosquera, Raúl González

Tuñón y un montón de entusiastas más, inaugurarían el lugar el día de una fiesta patria, el 25 de mayo de 1926.

La insigne poetisa Alfonsina Storni moriría ahogada, y para costear la compra de la piedra con la que realizarían un monumento a su insigne persona fue preciso subastar un piano Steinway. La obra, del escultor Perlotti, se ubica en la rambla del Mar de Plata. Además, Carlos Gardel, Federico García Lorca, Jacinto Benavente, Lola Membrives, Ortega y Gasset, Jorge Luis Borges, Roberto Arlt, y mil artistas más eran asiduos tanto del Café como de la Peña. No faltó a esta cita del Tortoni nuestro sencillo hombre campechano y paisano de la calle, Juan Carlos I de Borbón, quien el 19 de octubre de 1995 se pasó por el Café a contertuliar, como tan aficionado lo fuera su abuelo Alfonso XIII y lo hubieran hecho otros muchos más. Recientemente el actor Imanol Arias, la tenista Gabriela Sabatini, el escritor Sábato y la Sra. Hyllary R. de Clinton se tomaron su café en él; concretamente esta última el 16 de octubre de 1997.

Dice Javier Furgang, que Buenos Aires tiene dos sonidos característicos, uno el incomparable y entrañable tango. El otro, aún más auténtico y real, lo constituye el choque de tazas y pocillos de café, el repique de cucharillas, y el murmullo de fondo de un café, a veces roto por la carambola de unas bolas de billar, de los que este local posee nada menos que cuatro. La revista histórico-humorista de Buenos Aires *Caras y Caretas*, se nutría muchas veces de los chismes que pululaban por las mesas del Tortoni.

Cuenta la anécdota la propia Julia Prilutzky, encantadora poetisa, que en cierta ocasión Quinquela le invitó a escuchar un recital de Atahualpa Yupanqui en la Peña. Al concluir el emotivo recital se acercó y le comentó: «No hay nada que hacer. La música peruana no tiene nada igual.» Cuando le dijeron que Atahualpa era argentino quiso morir de vergüenza.

El Café Tortoni siempre está lleno. Uno podría encontrarse desde el ya citado Ernesto Sábato a Mario Benedetti. Desde China Zorrilla a Horacio Ferrer o Víctor Hugo Morales. Se ha creado la Asociación Amigos del Café Tortoni con Carlos Cañás, Alberto Mosquera y Roberto Tálice al frente y con la responsabilidad de proseguir con esta insigne tarea cultural. Hace tres años, en 1995 fue declarado «Sitio de Interés Cultural». Yo lo hubiera declarado Universidad.

«A pesar de la lluvia yo he salido a tomar un café. Estoy sentado bajo el toldo tirante y empapado de este viejo Tortoni conocido. ¡Cuántas veces, oh padre, habrás venido de tus graves negocios fatigado, a fumar un habano perfumado y a jugar el tresillo consabido! Melancólico, pobre, descubierto, tu hijo te repite padre muerto...» (Baldomero Fernández Moreno).

He tomado muchos cafés en el viejo Tortoni. Recuerdo muy bien una, cuando por trabajo me encontraba en Buenos Aires y me comunicaron la feliz noticia del nacimiento de mi hija Yara-Hunza. Nada pude hacer hasta la salida de mi avión en el precipitado regreso, sino tomarme un café en el Tortoni y pensar en ella y en su madre. Tiempo después he conversado con mis compañeros editores, nos hemos tomado nuestras «botanas» o tentempiés que son excelentes, las «medialunas» las «traviatas» los «sandwiches» especiales de pan negro, francés, árabe o pebetes. Esos cafés cubanos con Bacardí, crema o canela. O el café antillano con Tía María, crema y canela. Creo que la especialidad más lograda es la del suizo, con crema de cacao, crema y chocolate rallado. Delicioso. Si uno se decide por un «trago largo» elijan el Alfonsina a base de frutilla (frambuesa), ananá (piña), coñac y gin. Un rato en el Tortoni no tiene desperdicio.

Hace bien poco volví de nuevo al Tortoni, con mis amigos Cesc F. Sagarra, su hijo Fernando, Lin Balagué y Nincha. Actuaba la tanguista María Volonté en la Sala Alfonsina, con un lleno a rebosar. Hablamos en la acogedora Sala César Tiempo y es que este Café dispone de bellísimos rincones donde olvidarse de que el mundo es así.

Café de Los Inmortales

«Aquí está un girón de vida con su latido profundo de amistad y noche porteña.» (Ulyses Petit de Murat)

Era realmente un Café bohemio, o como dice Vicente Martínez Cuitiño, profundo conocedor del Café, un lugar donde la bohemia

A veces las viejas tabernas juegan el papel de Cafés como éste en el barrio de San Telmo en Buenos Aires.

porteña renunciaba a todo para sentarse en sus sillas. Situado en el número 922 de la calle que nunca duerme, como se conoce a Corrientes, fue muy popular entre los periodistas, poetas y envidiado por todos aquellos que deseaban pertenecer a esa elite señalada con mano misteriosa y obras elocuentes.

Con anterioridad se denominó Café Brasil y perteneció a don Calixto Milano quien lo vendería a don León Desbernats, que en esos momentos tenía un negocio de corbatas. Don León lo levantó, ayudó a muchos artistas ricos en ideas pero pobres en centavos, hasta que se marchó a luchar a su Europa en la primera guerra mundial. No era un local de lujos pero sí de una enorme vidriera o ventanal que permitía observar lo que acontecía en la calle. Lo del nombre no era como yo pensaba, por haber sido visitado por numerosos personajes famosos, tal y como sucede en la actualidad con los establecimientos del mismo nombre, plagado de fotografías; no, su nombre se debió a que en esa época no había contertulio que comiese nada allí, o mejor dicho, porque eran unos tiempos difíciles en los que poco o casi nada comían, por eso debían ser inmortales. Su período más espléndido corresponde del 1906 al 1916.

Decía el escritor Jorge Montes que correspondió a otro tiempo, cuando no había ni radio, ni televisión, ni teléfono en cada casa. Cuando la comunicación se hacía boca a boca, persona a persona. Si los españoles emigrantes habían escogido los Cafés de la avenida de Mayo, el Café de los Inmortales lo frecuentaba la intelectualidad bohemia argentina. Por allí pasaron, además de Carlitos Gardel, J.F. Kennedy, Bing Crosby, Niceto Alcalá Zamora, Paul Newman, Andrés Segovia, Jacqueline Onasis y un largo etcétera.

«Con permiso del presente, he de evocar el pasado, quizás un poco olvidado pues muchos están ausentes. Son recuerdos como ensueño de los Viejos Inmortales que han sentado sus reales en este nuevo proscenio.» (J. Montes)

Aquel camarero del Café Sorocabana de Montevideo

«Si os viene al promediar la mesa y el vino se os sube a la cabeza, tomad café que es este licor divino, aleja el sueño y el vapor del vino.»
(Pepe Martín)

Leyendo la revista *Algo* encontré un interesante artículo escrito en enero de 1930, que versaba sobre la figura del insigne camarero de café. Me hizo mucha gracia y a la vez satisfacción haberlo encontrado porque me recordaba en persona a Ernesto, aquel camarero de oficio, con bigote recortado, chaqueta blanca de tela, corbata negra y actitud servicial que me ofreció un café de Brasil en el viejo Sorocabana de Montevideo. Ese viejo y legendario Café de la calle 25 de Mayo, con mesas redondas de mármol y acompañado de un vaso de sifón o, como dicen en otros lugares, «agua de selz».

Hoy, me cuenta un amigo uruguayo que «el Café no está más». Lo trasladaron a otro lugar cercano, pero ya no es lo mismo, como en casi todo.

Hay muchos Ernestos en los Cafés del mundo, también con mucha dignidad, aunque estén próximos a extinguir. Hay quienes lo comparan con el «ama de cría», pero ésta, al año y medio cerrará el «establecimiento» para siempre. El camarero, sin embargo, te asegurará después de la lactancia la «cafetancia», acompañada del entrañable calor que engendran esos típicos lugares.

El Café es el lugar donde te sientes a gusto. Donde hablas aunque no conozcas a la gente, donde escuchas y hasta sonríes, donde te repones, donde te lavas las manos o vas al servicio. Algunos hasta donde hacen la partidita o se dan una leve cabezadita. Es un lugar donde discutes y aprendes, un lugar en el que se sugieren iniciativas. Un lugar donde te citas o matas esa hora en que no sabes qué hacer. Donde lees el periódico que el mismo camarero te ofrece o, si es el caso y estás al otro lado del charco, te atreves a que te limpien o «lustren» los zapatos, en amena y sorprendente conversación, sin llevarte un susto por el precio.

Gracias al camarero, y no precisamente al dueño, el Café se convierte en tu segunda casa, en tu segunda oficina. El camarero de oficio es paternal, comprensivo, servicial, campechano, diplomático, acogedor. Uno sale a veces de la casa por el ruido de los

Pajarita, chaleco y delantal blanco tipo rondeau, *representan el uniforme más común de los camareros y* garçons *de distintos Cafés.*

chiquillos, porque hacen la limpieza neurótica, por la exigente o «pesada» mujer, o porque quieres salir y no sabes a dónde ir. El Café está siempre dispuesto a acogernos, te ofrece tu mesa limpia, una cómoda silla de madera, un ventilador en verano, que se agradece y no te fastidia como los aires acondicionados de ahora, en los que te mueres de frío o pillas una pulmonía, sin que a nadie le importe.

El Café castizo, el de achicoria y tertulia, que dirían algunos de primeros de siglo, no es un lugar de esparcimiento frívolo ni de libertinaje cosmopolita. Creo que lo son los de ahora, llenos de *look* e incomodidades, donde pagas más por un café que un menú baratito. Yo he pagado 700 pts. por un café en el Boulevard Saint Michel en París y en el Florián de Venecia, dos caprichos justificadísimos. Me refiero a esos *piccolos capuccinos* o expresos de Jamaica en una cafetería de franquicia.

Cafeteras de mango y botellas de panza. No hay ni materialismo ni volandería. Incluso te fían copas o café a poco que te conozcan, o te prestan dinero para el tranvía si te lo habías olvidado. Cafés y tranvías de antes.

El camarero es discreto, incluso te llamará por tu nombre, si eres parroquiano, aunque tú no se lo hayas dicho. Te ofrecerá el café como a ti te gusta, aunque no se lo pidas. Te acompañará hasta la mesa y te colocará la silla. Será siempre tu mesa preferida en aquel rincón, si está libre, y te acercará el periódico deportivo o el nacional.

Lo que más llama la atención es que conoce todas nuestras manías. Si nos estorban los vasos, si no nos gusta la nata, si precisamos de cenicero o colocará el agua en un extremo. El café será siempre como nos gusta y el azúcar el requerido. Las tostadas, en caso del desayuno estarán en su punto. No te preguntará nunca si tienes mujer, novia o amante. O si sufres depresiones o desengaños. Si vas mal o bien de dinero o padeces una crisis existencial. Sonreirá siempre con la propina, sea mucha o poca.

Cuando te preguntaban en casa «¿adónde vas?» respondías con toda naturalidad «al Café», como si de otra casa se tratara. Tampoco hacía falta preguntar, cuando pedías un café «¿Cómo lo quiere?» —Pues con mucho amor, por favor—. El amor y el servicio estaban incluidos en el precio.

CAFÉS DE CHILE

«En los cien años del Torres yo también quiero brindar,
brindo como parroquiano que es este café singular.»

«Aquí transcurren los años con mucho acudir de gente, ya la
Alameda ha cambiado pero el Torres sigue vigente.»

Café Torres de Santiago

Chile, con su mucha influencia germana, tuvo lindos Cafés y con su influencia latina curiosos locales de tertulia asegurada. El Café Haití de la calle Ahumada fue uno de ellos, que incluso exportó la marca y el estilo a otros países como Perú. Hoy está remodelado, ya no existen sillas donde sentarse aunque la vista esté asegurada por las bellas jovencitas que en minifaldas azules y piernas largas sonríen y sirven cafés.

Tampoco el Café de Paula es lo que fue, frente al Teatro Municipal de Santiago testigo de óperas y miles de compañías de danza. Eso sí, persiten las ricas tortas que lo hicieron famoso. Cafés como el Colonia o el desaparecido Waldorf han pasado de moda. Sin embargo han aparecido una especie de «antros» de rica vida cultural y bohemia en la que se siguen cociendo asuntos de interés. Me refiero a la Piojera cerca de la estación de Mapocho, la Tijeras, el Ricón Canalla o el Hoyo, aunque sean más lugares de «picada» que de café propiamente dicho.

La Confitería Torres es el lugar de Santiago de Chile. Situada en el 1570 de la Alameda, junto al Circulo Español, ocupa parte de los bajos del Palacio Íñiguez, edificio de principios de siglo, desde 1905. Con anterioridad estuvo ubicado en la calle Angustias esquina con Ahumada.

Su actual y valiente propietario es Jaime Vargas Ponce, aunque fue don Bartolomé Alomar quien lo mantuvo durante casi cuarenta años. Hoy está tranquilo en esta tarde del cálido mes de febrero chileno, ya que estamos en pleno verano. Me atienden, a la antigua usanza, don Óscar Román que responde a la voz de «garsón» y Virginia Moragas que le auxilia en la barra. La primera impresión es estar en un local del oeste gringo, por sus puertas recortadas y oscilantes, el chirriar de las viejas maderas del suelo, pero seguidamente con el calor y detalles del viejo café latino o hispano. Bellas mesas estilo reina Ana y sillas vienesas con mucha historia, me acogen. Todo cuadra perfectamente con lo que uno espera de un café tertulia. Hasta el teatrillo situado al final de la sala y que sirve para que un viejo piano, pero bien afinado, reparta notas de la mano de Rafael Rojas o ilustre la voz del *gardelito* chileno.

La primera anécdota de las cientos que han ocurrido desde 1879, fecha de su inauguración, es la del descubrimiento de un muro sellado, tras el cual se encontraron doscientas botellas de excelentes vinos de los años 1930 a 1940. Fue precisamente en 1989, cuando se hacían los arreglos para el escenario. Miguel Torres, bodeguero hispano y que nada tiene que ver con el nombre del Café, ofreció reponer otras 200 botellas de sus excelente cosechas y sellarlas de nuevo para reabrir el muro en el 2000.

Era el Torres un lugar de «habitués» tal y como se les llamaba a los parroquianos, procedentes de familias nobles, cuyos hijos, padres y abuelos venían los domingos después de la misa a tomar-su refresco de Bilz, que era un jugo de frutillas, o café. Acudían a realizar su partidita de cacho o dominó o a tomar 11, que no era sino el té. En realidad era una-manera de camuflar el vino en tacitas de té para no levantar sospechas de empezar a tomar temprano.

Varios presidentes de república chilenos fueron clientes antes, durante y después de sus ejercicios. Tal es el caso de Ramón Barros Luco quien gustara de comer un «sanguche» de carne con queso fundido por encima que se popularizó con el nombre de «barros luco». También el presidente A. Alessandri se detuvo frente al Torres después de una parada milita para calmar su sed. «Estoy que me rajo de sed. Ando con los fierros calientes» exclamaría antes de echarse al gaznate una chicha seca.

Rubén Darío amigo del hijo de Pedro Balmaceda, otro presidente, visitaría el café en 1886.

Curiosa la nota de don Héctor Lana, cliente del Café, cuando una noche, fue recogido por la policía en estado alegre, a las puertas del mismo. Al llegar al cuartelillo todos se cuadraron ante él puesto que era nada menos que el jefe de la policía en la sección de ebrios. También acudía por allí un sujeto llamado «cuevitas» que siempre le caía a alguien para que lo invitara. O sea un gorrón. Años más tarde iría a París, daría un «braguetazo» y se convertiría en el famoso Marqués de Cuevas, dueño del prestigioso ballet del mismo nombre.

Plácido Domingo sería quien probaría su primer «pisco sour» en la Confitería Torres. El actual presidente Frei junto con Raúl Menem de Argentina se tomaban su café en el Torres después de un acto oficial y hace escasos días el mismísismo Anthony Quinn reposaba de un paseo por el palacio de la Moneda, próxima al Torres.

Creo que el Torres encierra, además de los excelentes vinos tras sus muros, esa calidez y armonía de los lugares con pedigrí. He salido fascinado.

CAFÉS DE COSTA RICA

«La democracia costarricense se inició en este histórico lugar, ayer Congreso de Diputados, hoy Café, en 1824.»

1928 inauguración del Teatro Raventós (hoy Teatro Melico Salazar) y el restaurante La Perla.

La Perla

El lugar por excelencia donde los «ticos», es decir, como se les denomina a los costarricenses, toman café es el Café La Perla, hoy, además, restaurante. Tiene un servicio de 24 horas sobre 24 horas, lo que equivale a que nadie se puede quedar sin tomarse un buen café en San José, a cualquier hora del día o de la madrugada. Está situado en la calle 0 con la Avda. 2, frente al espacioso Parque Central.

No es aún centenario pero tiene sabor a antiguo. Se construyó en el mismo solar que en 1824 residiera la Casa del Cabildo, lugar donde se reuniera el primer Congreso de Diputados para declarar la independencia de Costa Rica. Cincuenta y siete años más tarde La Perla empezó a servir café y tertulia en esta mismita esquina.

En 1928 abriría las puertas tanto el Teatro Raventós, hoy denominado Melico Salazar, como el Restaurante Café La Perla. En este sitio, he pasado muchísimas horas con decenas de actores, bailarines y coreógrafos amigos como puedan serlo Rogelio López, Marcela Aguilar, Jimmy, Enrique, Martha, Ivonne, Ena o Karen Poe, haciendo proyectos de festivales y giras por todo el mundo al calor de un buen café tico. Proyectos que se han materializado en su mayoría, ya que durante doce años me dediqué al «*management* cultural» y además de cofundar una compañía de ballet contemporáneo, fui el director, en ese tiempo, de un Festival Coreográfico Iberoamericano, con sede en Guadalajara (Mex) y Quito (Ecuador) lo que me permitió conocer, amén de bailarines y bailarinas impresionantes, a prestigiosas compañías de danza y los maravillosos teatros del mundo

La Perla ha superado fuertes temblores y terremotos, como el de 1924, en el que una gran parte de la ciudad sucumbió al seísmo. Su dueña responde al nombre de Generosa Rodríguez y junto a su hijo, Manuel Calvo, son los encargados de seguir con la responsabilidad de la tradición. Hace bien poco, el 9 de diciembre del 96 me tomé un café-cangrejo, es decir, un café con un cruasán que es como aquí lo denominan. Siempre el vasito de agua al lado. Junto a la caja, y como es común en muchos cafés, un quiosquito donde venden tabaco, licores y chucherías.

Otros Cafés interesantes son el del Teatro Nacional, tanto por el regio espacio como por los parroquianos, todos amantes de la cul-

Dicen que es el billete más bonito de los que existen. Es una alegoría del café pintado en 1897. Teatro nacional de San José.

tura, y el Café Columbus, en el seno del hotel Costa Rica, en plena plaza y con una terraza que es el resumen de San José. Para mí éste es el lugar. Citar el Soda Palace.

CAFÉS DE ECUADOR

«Mire, camarero, si esto es café, quiero té. Pero si esto es té, entonces prefiero el café.» (William Pulteney, Conde de Bath)

Ecuador como país hispano amante del fútbol y de los toros, tiene también sus viejas costumbres y Cafés. Seguramente en Cuenca, Loja y Guayaquil los hay y muy bellos. Quito, su bella capital, a más de 2.600 metros sobre el nivel del mar, reúne en torno a su plaza Mayor, que es donde reside el Palacio Presidencial, a dos de sus más emblemáticos Cafés, uno de ellos transformado en lujoso restaurante, La Cueva del Oso y el otro El Madrilón, aún resistente al paso del tiempo. Del antiguo Café Colón, situado en la céntrica y transitada calle Amazonas y ubicado dentro del hotel Colón, hoy perteneciente a la cadena Hilton, sólo queda la foto mural que ocupa la pared y que refleja nostálgicamente lo que fuera antaño.

Otros Cafés más modernos como el Café Libro y el Fórum de Librimundi, configuran el panorama tertuliano de la serrana ciudad. No quisiera olvidarme de la Bodeguita de Cuba que, sin ser un Café, sino un espléndido antro de cultura, juega un importante papel tertuliano y musical.

El Madrilón

Me recibe el atento arquitecto Luis Vega, tranquilo, culto y cincuentón, que regenta actualmente este Café heredado de su padre, quien fuera agregado militar de la embajada ecuatoriana en Washington en 1952. Había en aquella ciudad norteamericana un establecimiento denominado Madrillón donde solía reunirse gente latina. Cuando su padre regresó a su Quito natal en 1957 montó un Café en la calle Bolívar esquina con Venezuela, llamado Madrilón, es decir, quitándole esa *l* que le molestaba. Dos años más tarde, el 20 de agosto de 1959, se trasladaron a su actual ubicación de la calle Chile 1270, bajo los Portales de la Concepción.

El edificio pertenece a una congregación de monjitas, las madres de la Concepción, quienes ya han instado al propietario del negocio a marcharse de este lugar. Y eso que el Madrilón es un recinto serio, de gente respetable y lleno de anécdotas que forman parte de la historia de la ciudad, dada su proximidad con el Palacio de Gobierno. Don Luis Vega ha interpuesto algún recurso para no perder El Madrilón, pero todo está ahora en manos del clero. Que la Virgen les ilumine.

Por este Café han pasado ex presidentes como Carlos Arosemena Gómez, o Carlos Julio, ex alcaldes como Álvarez Pérez y el mismo ex presidente del Gobierno español, Adolfo Suárez, aguardando una cita con el presidente ecuatoriano y tomándose un *tintico*. Artistas, toreros y, sobre todo, políticos. Es, como dicen muchos, una prolongación del Palacio Presidencial. Un anexo de la oficina de funcionarios.

El lugar luce concurrido bajo las arcadas porticadas, llenas de *tianguis* o chiringuitos ambulantes donde te surten de banales accesorios: desde pilas a peines, de juguetes baratos a herramientas. De chiclés a paraguas.

El Madrilón utiliza café ecuatoriano llamado Minerva y lo común es solicitar un tinto puro o un pintado o cortado exprés. Es un lugar donde acuden también los jubilados a comentar los cambios en la política social, o las noticias bélicas de los últimos incidentes entre Perú y Ecuador por los territorios en disputa del protocolo de Río.

Frente al Madrilón han estallado bombas que han roto cristales en varias ocasiones, pero el lugar siempre permaneció tranquilo a pesar de su proximidad con el barrio de Ipiales donde residen contrabandistas colombianos y ecuatorianos. Don Luis o el arquitecto Luis Vega sigue día a día al frente de su Café, con sus espejos y decoración originales. Sus visillos crema, sencillo y bien ubicado, cálido y aromático como corresponde a un Café castizo que, aunque a primera vista lo parezca, nada tiene que ver con Madrid. Gracias a don Luis por su café y su tiempo y ojalá las monjitas se lo replanteen y no priven a Quito de un lugar tan representativo y cordial como éste.

La Cueva del Oso

«Recordar es volver a vivir.»
(Popular)

Imagen retrospectiva de la Cueva del Oso.

Bajando por las arcadas del Madrilón y dejando la plaza a la derecha, se deja ver un anaquel de forja trabajada y verde, a modo de toldo, que indica la entrada a este peculiar recinto. Un guarda de seguridad me para, con cara de pocos amigos y pregunta a dónde voy. En la puerta un par de soldados armados con metralletas en «prevengan» vigilan. Hoy es un día especial, ya que hay reunión de militares de varios países y, entre los asistentes, el general chileno Pinochet. Quizá haya traído consignas chilenas de cómo vencer a los peruanos en esa discordia absurda de fronteras. De todas formas, en la calle hay manifestaciones en su contra. Se respira un aire cargado y enervante que me recuerda las manifestaciones antifranquistas. Hay ambiente de puro Café-Café.

Recordar es volver a vivir, canta un viejo refrán quiteño, pero continúa: hay que recordar, sobre todo, las cosas buenas y entre ellas ese lugar de la bohemia inteligente del sitio donde se escuchaba el chiste de doble sentido, el lugar de la «sal quiteña». Este lugar se conoció como «la cueva del oso», la que dio origen a este curioso Café, ubicado en primera instancia en la calle Venezuela con García Moreno. Como el local era húmedo, oscuro y hasta lúgubre y por apodarse «oso» su dueño, no fue difícil denominarla «la cueva» y, por extensión, «del oso».

Era éste un lugar donde se reunían tanto los puros quiteños como los quiteños hijos de «chagras» y constituía un verdadero club de amigos donde Rafael Oso Mosquera actuaba de perfecto anfitrión. Eran célebres las partidas de cartas que allí se desarrollaban, así como los campeonatos de «cuarenta» en acaloradas veladas, según nos cuentan los cronistas. No faltaba la música de los tríos que hacían correr sus sentidos pasillos quiteños, dulces y nostálgicos que daban esa nota de color y calor con el que se caldeaba el ambiente de la cueva.

Afortunadamente, el sentir popular impidió que se perdiera ese sagrado local y se las arregló para que no desapareciera; tan sólo se trasladó al bello palacete colonial conocido como la casa de Pérez Pallarés, para el disfrute no sólo de los quiteños sino de todos los transeúntes y turistas que buscamos la lumbre al abrigo de estos locales, en nuestras estancias por el joven y bello continente americano.

Actualmente en la «Cueva del Oso» hay un restaurante situado en el patio del palacete. Dispone de moderna cafetería ilustrada por decenas de fotos de la ciudad de Quito en los años veinte. Se puede degustar diversos platillos criollos, empanadas de morocho (maíz negro), tamales, caldo Castrillón, papas con cuero, chiquiles (pastel de flor de maíz y huevo), locros (sopas de papas y queso fundido), ceviches o guagua montado, bebida con viejo anís. Todo ello con la amable y sempiterna frase ecuatoriana: «Siga no más», «pase no más», «no me sea malito».

La Bodeguita de Cuba

«Ana, una mariquilla terremoto de la imaginación y del tesón, pero con un aché que no le cabe en el cuerpo. La Bodeguita de Cuba, un lugar donde se siente diferente, donde se mima y apapacha a la gente. Una casa de todos y para todos. Un lugar variopinto y pluralista, pero solidario y acogedor.» (AGC)

Ana, cuando apenas tenía doce años, sentía pánico con los temblores y los volcanes y no imaginaba cómo la gente podía vivir en esos lugares, pero su destino estaba al lado del volcán Pichincha, en Quito, Ecuador. Fue actriz en su Cuba natal y eso nunca se pierde, cuando habla, gesticula, camina y se mueve con la gracia y desparpajo de un jilguero en primavera.

Recién llegada a Ecuador trabajó como productora y realizadora de un programa de TV presentando a un muñeco, un hijo de madera, que denominó Toqui, que viene a significar «Gran jefe guerrero de la lanza de obsidiana».

En cierta ocasión, me cuenta Ana, un 28 de diciembre, fiesta de los Santos Inocentes, no se le ocurrió otra cosa que decir, a través de Toqui, que todo el dinero del petróleo de Ecuador iba a ser donado para los necesitados del país y que se anunciaba un nuevo golpe de estado a partir del dictador Velasco Ibarra. Algo de eso se debía de estar tramando cuando se produjo toda una convulsión en la capital. La gente

La Bodeguita de Cuba.

irrumpió a llamar a la emisora y hasta el mismo ministro telefoneó para desmentir el hecho, pero lo simpático ocurrió al preguntarle el presentador que quién llamaba, y dijo ¡el ministro! y lo mandaron a la porra públicamente. Se armó la de Dios es Cristo y hasta cerraron temporalmente el Canal 8.

Luego pasó a una etapa más tranquila y se hizo granjera de autosubsistencia. Tenía sus puercos, gallinas, huevos, papas y demás materias primas que le permitían vivir sin depender. Aprendió a cocinar con gusto y a disfrutar de lo que hacía, pero en realidad a ella lo que le gustaba era actuar y, por qué no, cantar. Por eso se montó su propio espacio un 12 de mayo de 1995. Buscó un bonito local en la calle Reina Victoria esquina con la Pinta, se empeñó hasta el cuello y pagó con una tarjeta de poco crédito lo que se consumió el día de la inauguración. Sus dos encantadoras hijas, Iván y otros amigos colaboraron hasta quedar rendidos. Además, quiso dar de comer y, no siendo precisamente un Café, sí consiguió un auténtico lugar de tertulia, de peñas, grupos políticos, de presidentes, embajadores y demás gentes despistadas pero con «ángel».

El primer día de trabajo lloró. No le salía nada bien. El arroz era más duro que una piedra. Todo tardaba en salir, pero sus incondicionales le ayudaron y ella logró al poco tiempo su propósito y cumplió el capricho de cantar. Eso sí, sólo los jueves.

Ana es cinturón negro de kárate, aunque nunca utilizó la fuerza para calmar a algún borracho que se equivoca con la bodeguita. Ahora todos saben que es un lugar sagrado donde se convive en paz como en la casa de cada uno. Ha tenido algún incidente con los guardaespaldas de algunos funcionarios de Abdalá, que se pensaron por un instante que aquello pudiese ser una casa de alterne o cosa parecida, pero Ana «les ha mentado la madre» a más de uno que se ha ido a cajas destempladas. Además, en el local se produce esa típica «vaina energética» en donde todos los presentes han parado para echar a más de un elemento discordante, dentro del clima de solidaridad que allí se respira.

Las paredes están llenas de frases pintarrajeadas e improvisadas en una noche «loca». Hay buena música, los jueves, con un grupo cubano donde Abelardo toca la guitarra, Basden el dominicano un poco de todo, Emilio Ibáñez, Manolito, Toni y Eduardo configuran el resto del *ensemble* perfecto.

Si hay una canción que entusiasma a Ana, es «Lágrimas negras», su preferida. Se emociona. El otro día, me comenta, una muchacha de California le pidió que cantara «Qué linda escoba», tema que en primera instancia no conocía, hasta que cayó en la cuenta de que lo que quería la americana de arriba era «Qué linda es Cuba», casi se muere de la risa. Aun así son muchos los norteamericanos que les visitan, hasta los miembros de la embajada en Quito, que incluso cuando se toman unos mojitos de más cantan canciones del Che o gritan ¡viva Cuba! Si Clinton y la Cia los oyeran...

En cierta ocasión un señor extranjero clavó un gran cuchillo en la mesa de madera, con energía, en plena actuación de Ana. Todos callaron, se hizo el silencio y el pobre señor, que venía de Australia, indicó que eso era lo que hacían en su pueblo cuando algo les gustaba muchísimo. Una forma especial de aplaudir.

A pesar de ser un local nuevo lo han visitado tanto el actual presidente Alarcón, como mi buen amigo el ministro César Verduga, vilmente acusado y siempre en el punto de mira de los verdaderos corruptos, con el que hemos acompañado a Ana en algún bolero o pasillo quiteño. También bailarinas y coreógrafas como Laura Solórzano, el pianista cubano Frank Fernández, el trompetista Arturo Sandoval y un montón de parejas anónimas que se conocen ahí y se casan, convidando a Ana a la boda, por ser la «culpable» de la complicidad solidaria que se da en la Bodeguita de Cuba.

Yo confieso haber hecho alguna travesura en la Bodeguita, como por ejemplo la de aquella vez que llovía a diluviar en Quito y yo me resistía a quedarme solo a cenar en el hotel. En un arranque de ímpetu me fui a la Bodeguita y allí disfrutaba de forma tranquila de la cena, cuando una de las simpáticas meseras, Ruth, me dijo que no era justo que habiendo tanta *chava* por allí, estuviera tan sólo y serio cenando. Oteé el horizonte, y en una mesa cercana vi a dos jóvenes, una rubia y otra morena. Me levanté, ante el asombro de Ruth, cogí el trapo blanco y doblado sobre el brazo izquierdo y me encaminé a la mesa elegida. «Buenas noches. ¿Está todo bien?» «Sí, sí, todo bien, gracias.» «Me permito convidarles en nombre de la Bodeguita a un mojito, si aceptan, claro!» «Oh, gracias. Es Ud. muy amable, pero no es de aquí ¿verdad?» «Pues, la verdad es que no. Soy de aquella mesa y no sabía como invitarme...» «¡Ah! Ud. viene de España ¿No es cierto?» Más que cierto era evidente por mi acento. Fui amablemente invitado a sentarme. Acabé bailando con ellas, Paz y Pilar, en una discoteca encima de una barra de madera, que es como se acaba bailando por estas latitudes. Y es que la Bodeguita incita...

CAFÉS DE GUATEMALA

«Ninguna bebida podrá igualar jamás el aroma embriagador y sabor delicioso de este fiel y grato compañero.» (Popular mexicano)

De gran reconocimiento por la variedad de climas diferentes, y su larga tradición de más de cien años de experiencia, los cafés de Guatemala se consideraron los mejores del mundo. Así lo atestiguan las menciones de 1868 en la exposición de París y en 1915 el premio en la feria de San Francisco, California. Apenas unos años antes, en 1911, Federico Lehnoff Nyld descubriría la fórmula del café soluble al instante, en la ciudad de Guatemala, lo que reportaría una nueva medalla en la localidad belga de Gante, en 1913.

Banco del café.

En la ciudad de Guatemala ya no quedan viejos Cafés. Los últimos se convirtieron en zapaterías vulgares y corrientes o en grandes almacenes, sólo el Petit Paris junto a la plaza de Gobierno y alguna barra de viejo hotel o club privado persisten al tiempo y a los terremotos. Habrá que viajar a La Antigua, a Chichicastenango, Quetzaltenango o aquel restaurante victoriano de madera en Puerto Barrios para tomar un buen café del tipo arábica, en un lugar acogedor y nostálgico.

En Guatemala existen hasta siete tipos diferentes del café arábica, distinguido por las diferentes altitudes en los que se produce y, por lo tanto, diferentes condiciones climáticas que dan distintas acideces, aromas y sabores. Veamos:

El prima lavado, que se da entre los 600 y 900 m, caracterizado por un aroma, acidez y cuerpo ligero.

El extra prima lavado, entre los 900 y 1.000 m, similar al anterior pero con las características más pronunciadas.

El semi duro (semi hard bean) entre los 1.000 y 1.200 m.

El duro (hard bean) entre los 1.200 y 1400 m, más oscuro y aromático que el anterior.

El duro de fantasía (fancy hard bean) entre los 1.400 y 1.450 m, a mitad de camino entre el *duro* y el *estrictamente duro* en sus características.

El estrictamente duro (strictly hard bean) entre los 1.450 y 1.525 m.

El Antigua *(special)* por encima de los 1.525 m. Es el típico exclusivo de este país. El mejor café de Guatemala con un cuerpo, aroma y acidez semejantes a los de un buen vino.

También es famoso el Guatemala Volcán de Oro, que procede de Santa Elena Varillas y que se da a 1.700 metros de altitud. Se distinguen los de la plantación San Isidro, que comanda Edgar Molina.

Posiblemente, Aldous Huxley, autor de *Un mundo feliz,* tomó café en La Antigua, «La muy noble y muy leal ciudad de Santiago de los Caballeros de Goathemala», fundada por los españoles en 1543 y sede de la Capitanía General para todos los países de América Central, camino hacia Atitlán, del que comentaría ser el «lago más bello del mundo». Éste baña a sus tres volcanes, uno del mismo nombre que el lago, el de San Pedro y el de Tolimán, que, reflejados en el agua transparente y con esa bruma matinal a media altura, eleva las cumbres de las montañas de fuego a niveles de insospechado misterio y majestuosidad. Hay embrujo. Si, además, uno viaja a Santiago Atitlán, Sololá o Panajachel, pueblos a orillas del lago, ya se puede morir tranquilo y contento.

Café Barroco

Café Barroco.

En la calle de la Concepción de La Antigua, se encuentra el Café Barroco, posiblemente de unos italianos, que además es museo y tienda. Su aspecto de viejo caserón con patio interior le da a sus *capuccinos*, *mochaccinos* o café de sabores, además del excelente gusto, un aire de puro y frondoso romanticismo.

Caminando por las rectas y empedradas calles de La Antigua, herencia de la urbanización hispana, se encuentra el Café de la Condesa, que es, además, restaurante y posada, como antaño, con chimenea y a la sombra de los volcanes Fuego, Agua y Acatenango. Otro lugar paradisíaco en donde se puede degustar café, sin ser un Café, es la Casa de Santo Domingo, un antiguo convento-posada con rincones de auténtica belleza. Todo ello en Guatemala, que equivale a decir «tierra de muchos árboles».

CAFÉS DE NICARAGUA

La Casa del Café

En Managua, capital de la espléndida y acogedora Nicaragua, existe un lugar único que uno no puede perderse, y es la Casa del Café, antiguo caserón restaurado, de dos plantas, donde se degusta, tuesta y vende todo tipo de cafés.

Manipulado y envasado del café en La Casa del Café, Managua 1998.

En 1864 Rafael Cabrera siembra la primera mata de café en la finca de la Esperanza, a 17 km de Managua. La sucesora, Ruth Elizondo Cabrera, ha seguido la tradición cafetera de su familia y ahora tiene el honor de ofrecerlo en esa maravillosa Casa del Café, situada en Lacmiel, una cuadra arriba, y una cuadra y media al sur de Managua. Así son las direcciones en esa parte del mundo. Abajo tienda y tostadora de Café. Arriba, y en una terraza con balconadas de madera, las mesas y la degustación en un ambiente de frondosas plantas tropicales. La música ambiental es de Carlos Mejía Godoy y los de Palacagüina.

CAFÉS DE EL SALVADOR

La Luna

«¿Que es lo que quiere la luna? Mojar sus valles de ceniza, beberse de un trago la plata. ¡Ay! Luna que llegas, montada en un carruaje de plumas, con furia de neblina, tus corceles relinchan. Quiero besarte, luna, sentir tu gélida mirada. ¿Acaso no deseabas un pecho? Un corazón para ti, caliente, que se derrame por los montes de tus senos. ¿Me has oído, luna? Voy a abrirme el pecho para que esta noche en mi corazón calientes tu frío cuerpo.»
(Daniel Villalta)

La Luna debe ser árabe, andaluza, luna moruna salvadoreña. Xiomara es la joven que amablemente nos atiende y, como remarca, de forma personalizada. Hoy llueve y hay poca gente en un lugar que no tiene fácil descripción, pero sí encanto de «antro». Con apenas siete años de vida, se han cocido ahí muchas reflexiones políticas, sociales y humanas. Beatriz Alcaine es la dueña. «Crecí en esta casa desde los trece años, que era la casa familiar.» Por cuestiones ideológicas tuvo que emigrar a París, Dinamarca, Londres y México. Todo un periplo que le dejará gran poso cultural y vivencial. Un tanto bohemia, le gusta el teatro, la pintura, el diseño sobre todo, pero su pasión son los medios de comunicación y, en especial, la radio.

Cuando regresó a casa se encontró con un espacio extraño al que quiso darle no sólo una forma sino tantas como la propia luna tiene. La Luna es cambiante, pero a la vez constante.

Como tantos otros lugares de este libro, no se puede considerar la Luna como un Café, sino como un lugar especial de tertulia, en donde, además, se toma café. Es un espacio de diferentes niveles, con partes abiertas al cielo y partes tapadas. Paredes llenas de pinturas que lo asemejan a un taller de artes. Dotado de pista de baile, se realizan sesiones de jazz y dispone de rincones tranquilos en los que poder platicar. Nada es ortodoxo en la Luna. Todo es artísticamente bohemio.

Empezaron siete socios, sin apenas ideas administrativas o legales, pero sí con la idea clara de reunir a los jóvenes artistas y creadores que tuvieran algo que expresar. No había en todo El Salvador un solo lugar donde platicar en paz. A pesar de todo, intentaron boicotear la idea, y el anterior alcalde de San Salvador quiso cerrar la Luna, como si apestara. Las excusas fueron el ruido y el jolgorio que allí se hacía y las protestas de los vecinos. Pero obviamente eran «excusas». El otro *ruido*, el de la izquierda, era lo que verdaderamente le molestaba al alcalde. Hubo revuelo, protestas, firmas y el tema quedó latente, pendiente de decisión judicial. Tres años más tarde, y el mismo día de Nochebuena, falló la justicia a favor de la Luna, como debía ser.

En la Luna se ha visto hasta la esposa del anterior presidente de la República, Alfredo Cristiani, hecho realmente importante si se conocen las connotaciones que el lugar pueda implicar. Y es que la Luna no es de nadie. Ella es la dueña de todos. Un espacio abierto al tiempo, a la magia y a la imaginación.

La Ventana, de Daniela Heredia y Pablo, el alemán y El Punto Literario son los otros cafés salvadoreños recomendados, dentro de un país emprendedor, amable e inteligente, con una calidad humana a toda prueba.

BIBLIOGRAFÍA

BACIGALUPE, Carlos: *Cafés Parlantes*, Bilbao, Eguía, 1995.

BEAMONTE DE JARDÓN, Vicky: *El café*, San Sebastián, Euhasa, 1984.

BEJARONO ROBLES, Fco.: *Cafés de Málaga*, Málaga, Bobastro, 1989.

BLAS VEGA, José: *Cafés cantantes de Sevilla*, Madrid, Cinterco, 1987.

CABALLÉ I CLOS, Tomás: *Cafés de Barcelona*, Barcelona, Albán Els Quatre Gats, 1946.

DE LA MOTA, Ignacio H.: *El libro del café*, Madrid, Pirámide, 1991.

DÍAZ, Lorenzo: *Madrid: tabernas, botillerías y cafés*, Madrid, Espasa Calpe, 1992.

ESPINA, Antonio: *Las tertulias de Madrid*, Madrid, Alianza, col. Alianza tres, n.º 279.

ESPINÁS, Josep Maria: *Quinze anys de cafés de Barcelona 1959-1974*, Barcelona, Dopesa, 1975.

FERNÁNDEZ MIRA, Isabel y Teresa y GONZÁLEZ GALATEA, M.A.: *Centenario de Els Quatre Gats 1897-1997*, Barcelona, Leda-Ayax.

FERRE, Felipe: *Mundo mágico de los cafés europeos*, Madrid, Centro Cultural de la Villa, 1991.

FRIEDRICH, Ernest: L*a ruta del café*, Santafé de Bogota (Colombia), Voluntad, 1995.

FRUTOS, Mariano: *Tertulias de café de Eloy González*, Barcelona, Mascarón.

LAMAINE, G.G.: *Les cafés litteraires*, De la Defferance.

LAVEDAN, Antonio: *Tratado de usos, abusos, propiedades y virtudes del tabaco, café, té, chocolate...*, Madrid, Oyero y Ramos editores, 1985.

LUJÁN, Néstor: *El Libro del Café*, Barcelona, Nestlé, 1984.

LUJÁN, Nestor: *Placeres de la sobremesa: café, copa y puro*, Barcelona, Plaza y Janés, 1991.

MARGARIT, Adrián: *Restaurantes. Cafés, Cantinas, Bares*, Barcelona, Blume, 1970.

MUÑOZ PUEBLES, Vicente: *El café. Sabor, aroma, excitación*, Valencia, La máscara, col. Placeres, 1998.

NAVARRO LATORRE, José: *El Café Apolo*, Cádiz, Caja de Ahorros de Cádiz, 1974.

RODRÍGUEZ TUDELA, Mariano: *Cien años de historia del café Gijón*, Madrid, Kaydeda.

UMBRAL, Francisco: *La noche que llegué al Café Gijón*, Barcelona, Destino.

VALENZUELA, Rubén Adrián: *Relatos de El mesón del café*, Barcelona, Los Libros de Diario Els Quatre Gats.

VICENT, Manuel: *Del Café Gijón a Itaca*, Madrid, El País-Aguilar.

VIZCAÍNO CASAS, Fdo.: *Café y copa con los famosos*, Madrid, Sedmay, 1975.

Guía del café, Barcelona, Salvat, 1985.

ÍNDICE